LES ECHECS EN 20 LEÇONS
pour les débutants

Laurent Ponce-Sala

LES ECHECS
EN 20 LEÇONS

pour les débutants

EDITIONS DE VECCHI S.A.
20, rue de la Trémoille
75008 PARIS

Traduction de Périne Mordacq

© 1987 Editions De Vecchi S.A. Paris
Imprimé en Italie

Préface

L'éditeur et l'auteur de ce livre, dédié aux échecs, sont heureux d'offrir au lecteur et au débutant une œuvre permettant à celui qui fait ses premiers pas dans le monde passionnant de ce noble jeu d'en découvrir les secrets et d'en apprendre les bases. L'étude attentive de ce volume permettra à celui qui veut persister dans la voie difficile des échecs et de la compétition d'aborder avec plus de profit les grandes œuvres monographiques.

Connu et principalement apprécié comme auteur de problèmes et d'études, il a remporté un nombre incalculable de prix dans les concours ouverts par les principales revues techniques.

Introduction

J'ai toujours caressé l'idée de pouvoir écrire un livre sur le jeu d'échecs entièrement dédié aux enfants ou pour le moins aux écoliers ou adultes qui en seraient à leurs premières armes. Cette fois-ci, l'opportunité m'a été donnée de satisfaire mon désir dans l'espoir, il est vrai, que ma modeste œuvre puisse favoriser la passion pour ce noble jeu qui était autrefois le "jeu des rois", devenu aujourd'hui le " roi des jeux ".

Ecrire un livre sur le jeu d'échecs n'est pas facile surtout si l'on veut traiter une matière aussi ardue sous une forme didactique accessible également à celui qui l'aborde pour la première fois. Je souhaite malgré tout avoir atteint mon but et j'espère que tous les lecteurs de ce livre pourront en assimiler pleinement le contenu et en tirer le plus grand profit. J'obtiendrais ainsi la meilleure récompense de ma peine.

LAURENT PONCE-SALA

LES ECHECS : UN SPORT MENTAL

Il ne fait plus de doute désormais — même les théories pédagogiques et scientifiques les plus avancées l'admettent — que les échecs contribuent énormément au développement intellectuel et à la formation du caractère et que l'apprentissage de ce jeu est positif et utile.

Ceci est valable en particulier pour les jeunes ; du reste, quiconque peut constater que le jeu d'échecs sait éveiller un vif intérêt chez les enfants et chez les jeunes. Les échecs sont un véritable sport mental permettant de modeler l'intelligence, d'aiguiser les capacités logiques et déductives de l'esprit, d'entraîner au raisonnement et à la réflexion. Un jeu qui est donc recommandé à tous mais surtout aux adolescents et aux jeunes.

D'ailleurs, tous les grands joueurs de l'histoire des échecs ont appris ce jeu dès l'adolescence si ce n'est dès l'enfance. Ainsi, le cubain José Raul Capablanca y Graupera, qui détint le titre de champion du monde de 1921 à 1927, apprit à jouer avec son père et il fut vite en mesure de le battre. A 8 ans, il commença à fréquenter le cercle d'échecs de La Havane dont il devint champion à l'âge de 12 ans.

L'américain Robert "Bobby" Fischer, protagoniste en 1972 du match historique contre Boris Spassky, apprit ce jeu à 6 ans et remporta à 14 ans son premier championnat national sans jamais perdre !

Samuel Reshewsky, polonais d'origine mais aujourd'hui citoyen américain, fit à 8 ans le tour des plus grandes capitales européennes comme " enfant prodige " en jouant avec succès des parties en public et en simultané, ce qui suscita beaucoup de stupeur et d'admiration.

L'actuel champion du monde, le soviétique Anatolij Karpov, apprit ce jeu à l'âge de 4 ans et à 7 ans fit son premier tournoi officiel. A 9 ans, il conquit la première catégorie et à 11 ans il était déjà candidat à la catégorie magistrale.

De nos jours, dans bon nombre de pays, le jeu d'échecs fait partie des matières enseignées à l'école. En Union Soviétique, les échecs sont même enseignés à l'université et il existe aussi une licence !

ORIGINES HISTORIQUES DES ECHECS

L'ancêtre de notre actuel jeu d'échecs fit son apparition dans le monde au moment où un très ancien jeu d'échiquier donna naissance à un autre jeu, dont les caractéristiques fondamentales résidaient dans le fait que les figures pouvaient être déplacées de différentes façons.

C'est dans la civilisation chinoise que l'on trouve les traces d'une semblable évolution qui se fit au cours d'un nombre indéterminé d'années et de siècles, peut-être même un demi-millénaire affirment certains de nos savants, vraisemblablement entre le IIᵉ et le VIᵉ siècle après J.C.

Selon ces doctes, l'Inde aurait été tributaire de la Chine en ce qui concerne le plus sûr prédécesseur des échecs, c'est-à-dire le " Chaturanga ". D'autres ont par contre soutenu la thèse d'une origine autonome de ce jeu en Inde, considérée aujourd'hui comme le berceau des échecs.

Quoi qu'il en soit, les échecs ne furent sans doute pas inventés par une seule personne mais furent le fruit d'une lente et progressive évolution. Le plus ancien Chaturanga fit place au chatrang des Persans, puis au Shatranij des Arabes.

Les Arabes atteignirent dans ce jeu un haut degré d'habileté, beaucoup d'entre eux devinrent célèbres et contribuèrent à la diffusion de ce jeu en Occident, entre le VIIIᵉ et le IXᵉ siècle après J.C., même s'il était déjà connu depuis l'ère romaine.

Après l'an Mil, les échecs se répandirent largement dans toute l'Europe, du fait même qu'un parfait chevalier se devait de les connaître. Néanmoins, les échecs subirent la condamnation de l'église au XIIᵉ siècle, car pour accélérer la partie on jouait avec des dés. Bien qu'ils furent vite différenciés des jeux de hasard, il fallut tout de même attendre plus de trois siècles pour leur réhabilitation définitive.

La Renaissance fut l'âge d'or de ce jeu. Les premiers professionnels, qui s'exhibaient dans les différentes Cours, firent leur apparition. C'est alors que des textes théoriques apparurent, les règles furent codifiées et à la suite de l'introduction du roque vers le XVᵉ siècle, on se dirigea vers la réglementation actuelle.

Les œuvres médiévales parvenues jusqu'à nous sont peu nombreuses. La principale reste le *De Ludo* du frère dominicain Jacques de Cessoles qui connut une large diffusion. Les recueils manuscrits des parties à résoudre sont nombreux tandis que ceux des parties jouées sont rares. Ceci s'explique par le fait que les problèmes créaient l'occasion de paris importants entre celui qui les proposait et celui qui était chargé de les résoudre, alors que les parties demandaient trop de temps. Puis les choses changèrent et la partie jouée l'emporta, contribuant à augmenter la popularité de ce jeu au cours du XVIᵉ et du XVIIᵉ siècle.

La légende du grain de blé

Le charme et les origines nébuleuses du jeu d'échecs ont fait éclore de nombreuses légendes différentes quant à sa naissance. La plus fameuse est connue sous le nom de "légende du grain de blé ".

Cette curieuse histoire narre qu'un précepteur du nom de Sissa, chargé de l'éducation d'un prince indien de sang royal, inventa le jeu des échecs de façon que le prince se rende compte que le roi, tout en étant la figure principale, ne serait rien sans l'appui de ses sujets. Le jeu plut tant au prince qu'il promit à son maître, à titre de reconnaissance, d'exaucer ses désirs. Alors Sissa donna une nouvelle leçon au prince en lui demandant un grain de blé pour la première case, deux pour la deuxième, quatre pour la troisième et ainsi de suite en doublant toujours la quantité jusqu'à la soixante-quatrième case. C'est ainsi que l'on constata dans un abîme d'étonnement, une fois les calculs faits, que tous les trésors de l'Inde n'auraient pas suffi à satisfaire la demande du maître. Et ce qui avait tout d'abord semblé au prince une modeste requête se révélait en revanche trop excessive même, puisqu'il se voyait dans l'impossibilité de maintenir sa promesse. Effectivement, la quantité résultante était de 18.446.744.073.709.551.615 grains de blé. Il aurait donc été nécessaire pour les produire de semer plusieurs fois toute la surface de la terre !

Une légende qui ne manque pas de charme, appréciée et connue tout particulièrement pour son contenu mathématique.

NOTIONS PRELIMINAIRES SUR LES ECHECS

Les échecs sont un sport mental. Une partie d'échecs est en fait une bataille entre deux cerveaux, deux personnes, qui tentent réciproquement de se vaincre dans un combat qui a été défini de nombreuses fois " trop jeu pour être science, mais trop science pour être jeu ".

Comme le prévoit le règlement de la Fédération Internationale des Echecs, le jeu d'échecs se déroule sur une tablette carrée appelée échiquier, entre deux joueurs adversaires qui déplacent leurs pièces.

Les pièces se déplacent sur l'échiquier constitué de 64 cases carrées identiques, en alternance blanches et noires. Les pièces se divisent en deux armées égales quant à la force et à la formation et évoluent selon les règles établies. Les manœuvres, ou coups, ont pour but de battre l'adversaire. Pour y arriver, il faut placer le roi de l'adversaire en position d'*échec et mat*. Par conséquent, chacun des deux joueurs s'affrontant a pour objectif de placer le roi de l'autre en position d'échec et mat.

L'un des joueurs dispose de pièces claires, que l'on appelle les Blancs, et l'autre de pièces foncées, que l'on nomme les Noirs.

Les échecs sont, par leur nature même, uniquement un jeu d'intelligence. L'intérêt de ce sport ou de cette science, comme on préfère l'appeler, est que les deux troupes se servent des mêmes armes. C'est donc celle qui aura mieux su utiliser ses propres capacités intellectuelles d'analyse, de synthèse et de déduction logique qui remportera la victoire.

LA PARTIE

L'échiquier est un carré divisé en 64 cases, 8 par côté, en alternance blanches et noires. Lorsqu'on commence une partie d'échecs, avant de disposer les pièces il faut s'assurer que l'échiquier soit placé comme il faut.

En commençant une partie, on doit veiller à ce qu'il y ait une case blanche en bas à droite : la position exacte est justement indiquée par la case blanche en bas à droite.

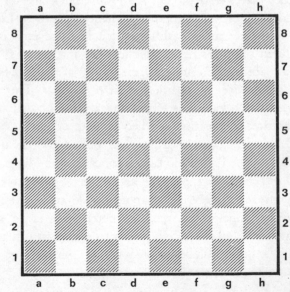

Diagramme 1
Position exacte de l'échiquier : la case blanche se trouve en bas à droite

Les cases

Il y a exactement 32 cases blanches et 32 cases noires qui forment au total les 64 cases réglementaires dont est composé l'échiquier, champ de bataille des futures opérations.

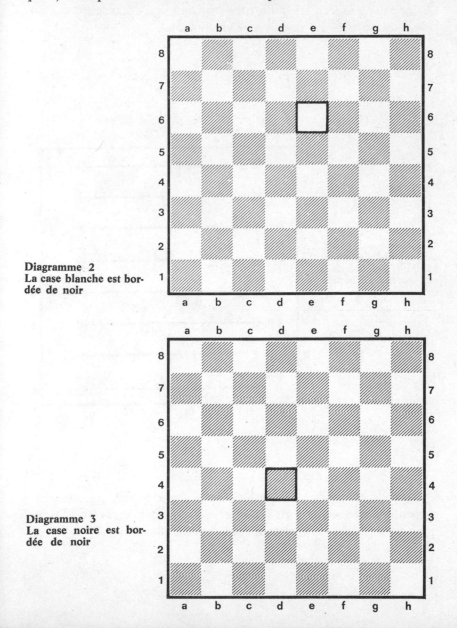

Diagramme 2
La case blanche est bordée de noir

Diagramme 3
La case noire est bordée de noir

Les rangées, les colonnes

Considérons l'échiquier vide, sans pièces, dans la position réglementaire c'est-à-dire avec la case blanche située dans l'angle en bas à droite.

On appelle rangées les huit files horizontales de cases qui sont parallèles au côté le plus proche des joueurs.

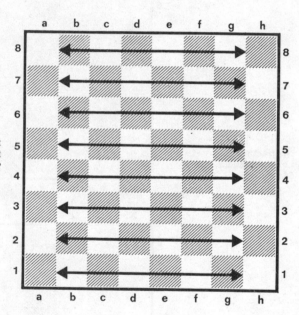

Diagramme 4
Les flèches indiquent les huit rangées dont se compose l'échiquier

On appelle colonnes les huit files verticales de cases qui coupent perpendiculairement les traverses et qui unissent le côté de l'échiquier plus proche du joueur à celui qui est plus éloigné.

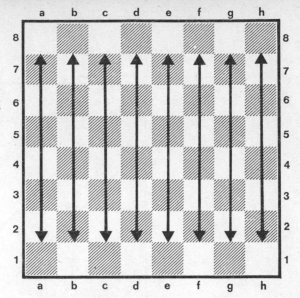

Diagramme 5
Les flèches indiquent les huit colonnes dont se compose l'échiquier

Les diagonales

On appelle diagonales les files de cases de même couleur dont les angles se touchent.

Les diagonales, comme on peut facilement observer sur les diagrammes reportés ci-dessous, contrairement aux rangées et aux colonnes qui ont toujours la même longueur, peuvent varier d'un minimum de deux cases à un maximum de huit cases. Par conséquent elles sont appelées, selon les cas, diagonales " longues " ou diagonales " courtes ". L'échiquier est composé de 13 diagonales blanches et de 13 diagonales noires.

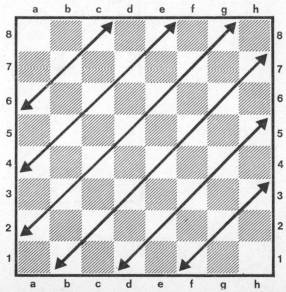

Diagramme 6
Diagonales blanches

Diagramme 7

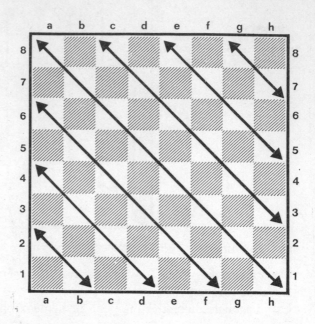

Diagramme 8
Diagonales noires

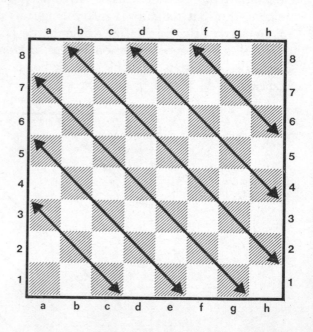

Diagramme 9

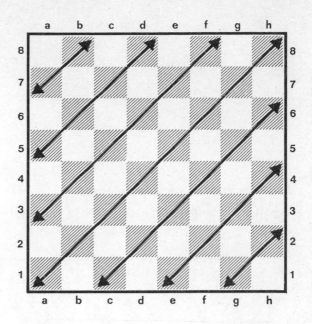

NOTATION DU JEU D'ECHECS

Initiales et symboles des pièces

Les pièces du jeu d'échecs sont 32 au total, 16 blanches et 16 noires.

Blanches :   Noires :

♔	1 Roi	♚	1 Roi
♕	1 Dame	♛	1 Dame
♖	2 Tours	♜	2 Tours
♗	2 Fous	♝	2 Fous
♘	2 Cavaliers	♞	2 Cavaliers
♙	8 Pions	♟	8 Pions

Nous énumérons ci-dessous les initiales des pièces en usage dans les langues les plus courantes afin que ceux qui se passionnent pour l'étude des échecs puissent toujours disposer d'une source de consultation intéressante, étant donné les nombreuses revues étrangères d'échecs d'une certaine importance pouvant être consultées.

Allemand	K	D	T	L	S	B
Anglais	K	Q	R	B	Kt	P
Bulgare	Tz	T	A	L	C	P
Danois	K	D	T	L	S	B
Espagnol	R	D	T	A	C	P
Espéranto	R	D	T	K	C	S
Français	R	D	T	F	C	P
Grec	Ba	B	Pr	T	H	P
Hollandais	K	D	T	L	P	Pi
Hongrois	K	V	B	F	H	G
Italien	R	D	T	A	C	P
Norvégien	K	D	T	L	S	B
Polonais	Kr	D	W	Pz	K	P
Portugais	R	D	T	B	C	P
Roumain	R	D	T	N	C	P
Russe	Ko	F	L	S	K	P
Serbe	Kr	K	T	L	Ko	P
Suédois	K	D	T	L	S	B
Tchèque	K	D	V	S	J	P

Notation des coups

Le Règlement du Jeu de la F.I.D.E. (Fédération Internationale des Echecs) dispose textuellement que lors d'un tournoi ou d'un championnat chaque partie d'échecs doit être écrite. Il est oppor-

tun par conséquent que le débutant se familiarise avec les deux systèmes reconnus par le susdit organisme international à savoir :
a) le système algébrique,
b) le système descriptif.
L'emploi exclusif du système algébrique dans la notation des coups lors des tournois est devenu obligatoire depuis janvier 1981 et dans ce volume nous nous y conformerons.

Nous décrirons quand même aussi les caractéristiques du système descriptif pour permettre au lecteur de consulter les œuvres monographiques en langue anglaise ou espagnole.

Système algébrique

Notation générale. A l'exception des Pions, les pièces sont désignées par leur lettre initiale.

Les Pions n'ont aucune désignation.

Les huit colonnes de l'échiquier sont indiquées par les lettres de a à h, en allant de gauche à droite.

Les huit rangées sont numérotées de 1 à 8, en partant du bas, c'est-à-dire du côté où sont placées les pièces blanches.

Dans la position initiale, avant de commencer la partie, les pièces blanches sont par conséquent situées sur les traverses 1 et 2, les pièces noires sur les traverses 7 et 8.

Chaque colonne est ainsi marquée par une lettre. On parle donc de la colonne "a", de la colonne "e", de la colonne "h".

Chaque rangée est marquée par un numéro. L'argot des échecs s'oppose à l'expression " traverse un ", " traverse deux ". En effet, il dit "la première traverse", "la deuxième traverse", "la septième traverse " ou tout simplement, " la première ", " la septième ", etc.

Chaque case de l'échiquier est donc déterminée de manière univoque par l'union d'une lettre et d'un chiffre. La notation est valable pour les deux joueurs.

Pour faciliter la compréhension de ce système, remarquons qu'il est semblable à celui que nous utilisions tous pour jouer à la bataille navale lorsque nous étions enfants.

Diagramme 10
Une fois que l'échiquier est placé dans la position réglementaire avec la case blanche en bas à droite, les huit colonnes sont indiquées par les lettres de a à h, de gauche à droite ; les huit rangées avec les chiffres de 1 à 8 en partant du bas

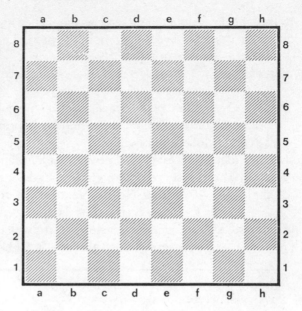

Diagramme 11
Avec le système algébrique de notation, chaque case de l'échiquier est déterminée de manière univoque par la combinaison d'une lettre et d'un chiffre

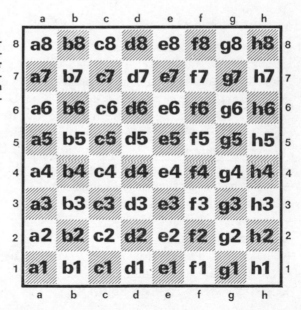

L'initiale de chaque pièce est accompagnée de la case de départ et de la case d'arrivée, sauf pour le pion. La case de départ est supprimée dans la notation abrégée.

Par exemple : 1. Fc1-f4 : le fou s'est déplacé de la case c1 à la case f4

ou : e7-e5, le Pion bouge de la case e7 jusqu'à la case e5.

La notation abrégée permet d'écrire dans le premier cas :

1.Ff4 et dans le second cas : 1.e5.

Lorsque deux pièces égales peuvent aller dans la même case, la notation abrégée se complète comme ci-dessous :

exemple : si 2 Cavaliers se trouvent en g1 et d2, le mouvement de Cg1-f3 s'écrira sous la forme abrégée Cg-f3.

exemple : si les Cavaliers devaient se trouver en g1 et g5, le coup Cg1-f3 serait ainsi abrégé : C1-f3.

MAT DU BARBIER

Blancs : Lawrence Aries - *Noirs* : N.

1.e4-e5 ; 2.Fc4, Cc6 ; 3.Df3, d6 ; 4.Dxf7 + + (échec et mat).

Système descriptif

Notation générale. Les pièces et les Pions sont indiqués par leur initiale.

Pour distinguer la Tour, le Cavalier et le Fou du Roi de ceux de la Dame, on leur ajoute les lettres R et D.

Les huit colonnes (de gauche à droite du côté des pièces blanches et inversement du côté des pièces noires) se désignent de la façon suivante :

— colonne de la Tour de la Dame (TD)

— colonne du Cavalier de la Dame (CD)

— colonne du Fou de la Dame (FD)

— colonne de la Dame (D)

— colonne du Roi (R)

— colonne du Fou du Roi (FR)

— colonne du Cavalier du Roi (CR)

— colonne de la Tour de Roi (TR)

Les huit rangées se numérotent de 1 à 8 à partir de la première, tant pour les pièces blanches que pour les pièces noires.

On indique l'initiale de la pièce jouée et la case d'arrivée.

Exemple : D4FR = la Dame se joue dans la 4ᵉ case de la colonne du Fou du Roi.

Lorsque deux pièces égales peuvent aller jusqu'à la même case, on indique la case de départ et celle d'arrivée. Ainsi : T4CR-2CR : la Tour, qui se trouve dans la 4ᵉ case de la colonne du Cavalier du Roi, se porte dans la deuxième case de cette même colonne.

Diagramme 12
Les cases de l'échiquier ne sont pas déterminées de manière univoque dans le système descriptif qui n'est plus admis par la Fédération Internationale à partir de 1981.
Tant les pièces blanches que les pièces noires sont en fait placées sur les rangées 1 et 2. Les colonnes sont indiquées par l'initiale de la pièce qui s'y trouvait initialement

	TD	CR	FR	R	R	FD	CD	TD	
1	1TD / 8TD	1CD / 8CD	1FD / 8FD	1D / 8D	1R / 8R	1FR / 8FR	1CR / 8CR	1TR / 8TR	**8**
2	2TD / 7TD	2CD / 7CD	2FD / 7FD	2D / 7D	2R / 7R	2FR / 7FR	2CR / 7CR	2TR / 7TR	**7**
3	3TD / 6TD	3CD / 6CD	3FD / 6FD	3D / 6D	3R / 6R	3FR / 6FR	3CR / 6CR	3TR / 6TR	**6**
4	4TD / 5TD	4CD / 5CD	4FD / 5FD	4D / 5D	4R / 5R	4FR / 5FR	4CR / 5CR	4TR / 5TR	**5**
5	5TD / 4TD	5CD / 4CD	5FD / 4FD	5D / 4D	5R / 4R	5FR / 4FR	5CR / 4CR	5TR / 4TR	**4**
6	6TD / 3TD	6CD / 3CD	6FD / 3FD	6D / 3D	6R / 3R	6FR / 3FR	6CR / 3CR	6TR / 3TR	**3**
7	7TD / 2TD	7CD / 2CD	7FD / 2FD	7D / 2D	7R / 2R	7FR / 2FR	7CR / 2CR	7TR / 2TR	**2**
8	8TD / 1TD	8CD / 1CD	8FD / 1FD	8D / 1D	8R / 1R	8FR / 1FR	8CR / 1CR	8TR / 1TR	**1**
	TD	CD	FD	D	R	FR	CR	TR	

MAT DU BARBIER

Blancs : Lawrence Aries - *Noirs* : N.

1. P4R, P4R ; 2.F4F, C3FD ; 3.D3F, P3D ; 4.DxPF++ (échec et mat).

27

Autres notations

Notation pour les parties par correspondance. Chaque case de l'échiquier est indiquée par un numéro de deux chiffres, comme vous pouvez le voir sur le diagramme.

Diagramme 13

	a	b	c	d	e	f	g	h	
8	18	28	38	48	58	68	78	88	8
7	17	27	37	47	57	67	77	87	7
6	16	26	36	46	56	66	76	86	6
5	15	25	35	45	55	65	75	85	5
4	14	24	34	44	54	64	74	84	4
3	13	23	33	43	53	63	73	83	3
2	12	22	32	42	52	62	72	82	2
1	11	21	31	41	51	61	71	81	1
	a	b	c	d	e	f	g	h	

Chaque coup, avec ou sans capture, est indiqué par le numéro de la case de départ suivi de celui de la case d'arrivée, ce qui forme en tout un numéro de quatre chiffres. En ce qui concerne le roque, on ne marque que le mouvement du Roi. Ainsi : e2-e4 : 5254 e o - o : 5171 (petit Roque blanc) ou 5878 (petit Roque noir).

MAT DU BARBIER
Blancs : Lawrence Aries - *Noirs* : N.
1. 5254 - 5755 ; 2. 6134 - 2836 ; 3. 4163 - 4746 ; 4. 6367 + + (échec et mat).

Symbolisation conventionnelle

A côté de la notation, il existe une symbolisation permettant d'exprimer de manière synthétique les concepts ou les coups particuliers comme le Roque. Voici les principaux signes conventionnels :

o - o	petit Roque	??	erreur
o - o - o	grand Roque	±	léger avantage pour les Blancs
: , x	capture	±	net avantage pour les Blancs
+	échec	∓	léger avantage pour les Noirs
a.p.	au pas	∓	net avantage pour les Noirs
!	bon coup	=	égalité
?	mauvais coup		

Aile-Dame et Aile-Roi

Si nous divisons l'échiquier en deux parties égales, en prenant d'une part les quatre premières colonnes de droite et d'autre part les quatre autres colonnes, nous verrons que nous avons séparé l'*aile-Dame* de l'*aile-Roi*.

C'est le côté de l'échiquier où se trouvent les Dames ou aile-Dame

Diagramme 14

C'est le côté de l'échiquier où se trouvent les Rois ou aile-Roi

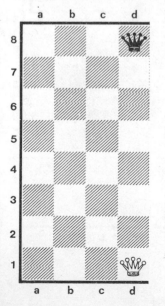

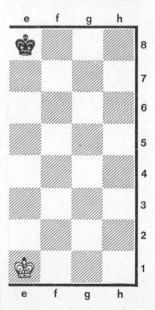

LES PIECES

Position exacte des pièces sur l'échiquier

Le diagramme ci-dessous montre la position exacte des différentes pièces.

Diagramme 15
Position exacte avant de commencer la partie

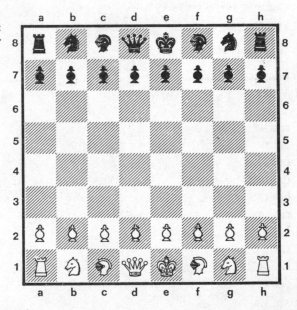

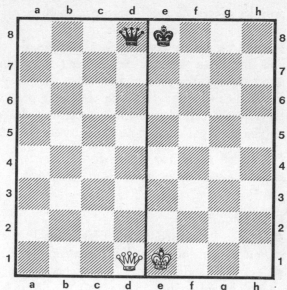

Diagramme 16
L'échiquier montre la place précise des Rois et des Dames blancs et noirs

Comme vous pouvez remarquer sur le diagramme 15, les pièces blanches occupent les traverses 1 et 2 alors que les pièces noires occupent les rangées 7 et 8.

Dans les diagrammes, les pièces blanches sont conventionnellement placées en bas.

Veillez à ce que les pièces soient correctement placées, cela est très important. Les Tours sur les colonnes a et h. Les Cavaliers sur les colonnes b et g. Les Fous sur les colonnes c et f. Les Dames sont placées sur la colonne d, tandis que les Rois occupent la colonne e. Les Dames occupent par conséquent la case centrale de la propre couleur et les Rois la case centrale de la couleur opposée. On dit : Dame blanche sur case blanche, Dame noire sur case noire, Roi blanc sur case noire, Roi noir sur case blanche.

Le diagramme 16 montre la juste position du Roi et de la Dame sur l'échiquier.

Etant donné qu'il est facile de se tromper, nous conseillons aux débutants de s'exercer à placer l'échiquier dans la bonne position puis les pièces de façon correcte, maintes et maintes fois jusqu'à ce que la chose devienne automatique.

Selon les conventions, c'est aux Blancs de commencer la partie, puis aux Noirs, ensuite de nouveau aux Blancs et ainsi de suite, alternativement, un coup chacun.

Le mouvement simultané de deux ou plusieurs pièces ou pions est formellement interdit, à l'exception du mouvement très particulier du Roque que nous étudierons par la suite.

Il n'est en aucun cas admis de commencer la partie en déplaçant simultanément deux pions d'un seul coup.

Résumons :

● Le joueur possédant les Blancs est le premier à déplacer une pièce, par conséquent il commence la partie.

● Les deux adversaires jouent chacun leur tour en ne faisant qu'un seul coup à chaque fois.

● Il n'est permis de déplacer qu'une seule pièce à la fois (exception faite pour le Roque).

Rectification de la position des pièces sur l'échiquier

Si pour un motif quelconque, une pièce était déplacée accidentellement ou ne se trouvait pas à la bonne place sur l'échiquier, on peut la replacer. Néanmoins, avant de le faire, il faut en informer l'adversaire. Tel avis doit être prononcé à voix haute en disant "j'adoube".

La pièce touchée est considérée comme jouée, à moins que le coup ne soit irrégulier.

Le joueur est tenu de déplacer la pièce qu'il a touchée s'il n'a pas averti son adversaire au préalable.

LA TOUR - LE FOU

La Tour

Elle peut se déplacer vers n'importe quelle case de la rangée ou de la colonne à laquelle appartient la case qu'elle occupe. La Tour se déplace dans le sens horizontal et vertical comme l'indiquent les flèches des diagrammes explicatifs suivants.

Diagramme 17. Mouvement de la Tour
La Tour bouge le long des colonnes et des rangées. La Tour placée en h1 peut occuper n'importe quelle case de la première rangée ou de la colonne "h"

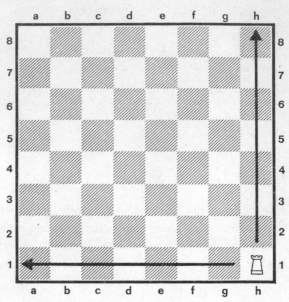

Diagramme 18. Mouvement de la Tour
La Tour se déplace horizontalement et verticalement. La Tour placée en e1 peut occuper n'importe quelle case de la colonne "e" ou de la première rangée

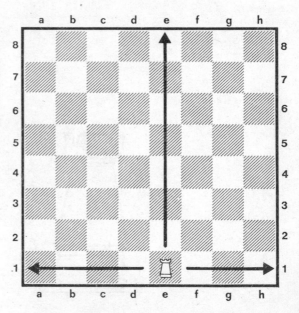

Diagramme 19. Mouvement de la Tour
Si la colonne et la rangée partant de la case sur laquelle se trouve la Tour sont libres, la Tour, indépendamment du fait qu'elle occupe une position centrale ou latérale, contrôle toujours et de toute façon 14 cases au maximum

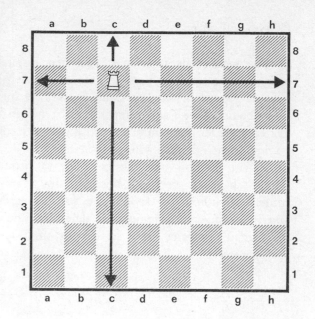

Diagramme 20. Mouvement de la Tour
Etant donné que la Tour se déplace horizontalement et verticalement, son rayon d'action dépend exclusivement des autres pièces éventuelles, de la même couleur ou de la couleur adverse, qu'elle peut rencontrer sur son chemin. S'il n'y en a pas, elle contrôle 14 cases

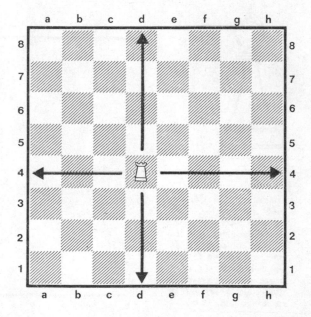

Le Fou

Le Fou peut se déplacer vers n'importe quelle case sur les diagonales auxquelles appartient la case qu'il occupe.

Chaque joueur dispose de deux Fous, l'un qui se déplace sur les cases blanches et l'autre sur les cases noires. Comme vous pouvez voir sur les diagrammes illustrant cette leçon, le Fou se déplace "uniquement" dans le sens diagonal.

Le joueur ne doit pas oublier, pour sa propre stratégie, que le Fou est la seule pièce qui bouge toujours sur les cases de même couleur. Un Fou qui se déplace sur les cases blanches ne peut *jamais* attaquer directement ni défendre une case noire ; le raisonnement contraire est à faire pour un Fou qui se déplace sur les cases noires.

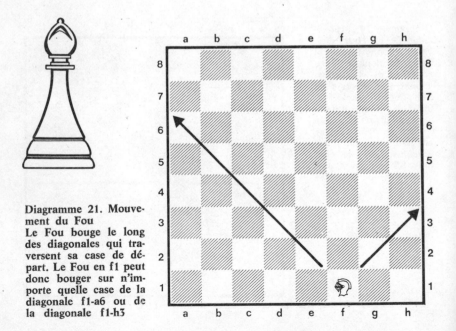

Diagramme 21. Mouvement du Fou
Le Fou bouge le long des diagonales qui traversent sa case de départ. Le Fou en f1 peut donc bouger sur n'importe quelle case de la diagonale f1-a6 ou de la diagonale f1-h3

Diagramme 22. Mouvement du Fou
Les diagonales n'étant pas toutes formées par le même nombre de cases, le rayon d'action du Fou dépend de sa position : il varie de toute façon d'un minimum de 7 cases, lorsqu'il se trouve dans une position angulaire ou latérale, à un maximum de 13 cases lorsqu'il se trouve situé sur une case centrale

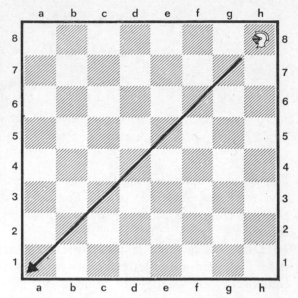

Diagramme 23. Mouvement du Fou
Le Fou en c5 contrôle 11 cases sur les diagonales a3-f8 et g1-a7. Le Fou bouge toujours, durant la partie, sur les diagonales de même couleur. On appelle "champ noir" le Fou placé initialement sur une case noire et "champ blanc" celui qui se trouve sur une case blanche au début de la partie.

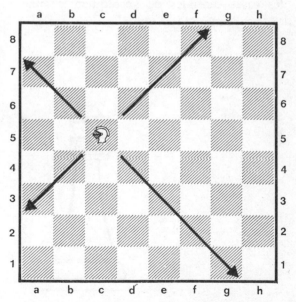

37

LA DAME

Elle est improprement appelée Reine. Cependant, cette désignation n'est pas autorisée par la Fédération des Echecs car elle pourrait créer une confusion avec le Roi lors de la notation des coups.

La Dame est la pièce la plus forte de la formation. Elle allie, dans son mouvement, les prérogatives de la Tour et du Fou. Par conséquent, elle se déplace le long des colonnes, des traverses et des diagonales qui partent de la case sur laquelle elle se trouve. Son rayon d'action s'étend au maximum lorsqu'elle occupe une des cases centrales de l'échiquier, comme l'illustre visuellement le diagramme 24.

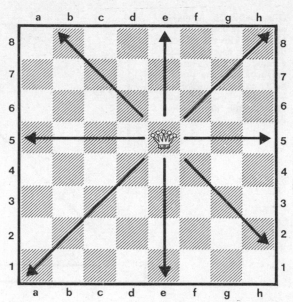

Diagramme 24. Mouvement de la Dame
La Dame réunit en même temps le mouvement de la Tour et du Fou. La Dame en e5 peut occuper n'importe quelle case dans le sens vertical, horizontal ou diagonal, dans les huit directions indiquées par les flèches

Comme pour le Fou, le champ d'action de la Dame se réduit lorsque celle-ci se trouve dans une position latérale ou angulaire. Les diagrammes 25 et 26 illustrent visuellement cette affirmation.

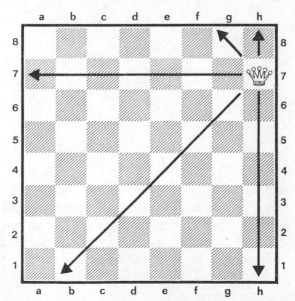

Diagramme 25. Mouvement de la Dame
La Dame en h7 peut bouger dans les cinq directions, avec un rayon d'action de 21 cases. La Dame bouge le long des colonnes, des rangées et des diagonales

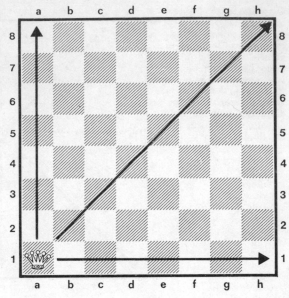

Diagramme 26. Mouvement de la Dame
Même si elle est placée dans une case d'angle, comme dans l'exemple suivant, la Dame domine 21 cases. Néanmoins, son rayon d'action ne s'étend que dans trois directions

Le rayon d'action de n'importe quelle pièce se réduit, si une pièce de même couleur ou une pièce adverse s'interpose sur son chemin. Nous en reparlerons dans le chapitre consacré aux règles de la prise, les deux exemples reportés par les diagrammes 27 et 28 sont pour le moment suffisants.

Diagramme 27. Mouvement de la Dame
Le mouvement de la Dame en d2 est réduit par la présence de la Tour et du Cavalier de même couleur. La Dame, en bougeant le long de la colonne "d", peut seulement arriver jusqu'à la case d6. En effet, elle ne peut occuper la case d7, puisque c'est la Tour qui l'occupe, ni la d8, puisqu'elle ne peut passer par-dessus la Tour. Le long de la 2ᵉ rangée, la Dame ne peut occuper ni la case g2 ni la case h2, vu que le Cavalier occupe la première et qu'elle ne peut passer par-dessus pour atteindre la seconde

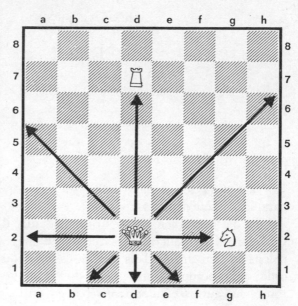

Diagramme 28. Mouvement de la Dame
Le mouvement de la Dame en d5 est limité par la présence de pièces adverses le long de son parcours. La Dame peut aller dans les cases occupées par de telles pièces en les capturant ; néanmoins, dans ce cas, elle doit s'y arrêter et elle ne peut passer par-dessus les pièces ennemies. Par conséquent la Dame peut occuper la case d2 le long de la colonne "d", en capturant la Tour, mais elle ne peut arriver à la case d1. Le long de la diagonale a2-g8, elle peut atteindre la case f7 en capturant le Fou, mais ne peut arriver en g8

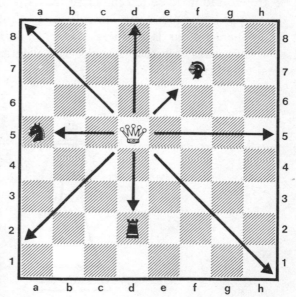

41

LE ROI

Il y a des siècles et des siècles, les rois conduisaient toujours la bataille à la tête de leurs troupes.

Au jeu d'échecs, bien que le Roi puisse aller dans n'importe quelle direction, il ne peut se déplacer que d'une case à la fois et, rappelons-le, seulement dans les cases immédiatement voisines do celle qu'il occupe. Cette pièce doit toujours être défendue par toutes les autres et n'oublions pas en outre que, mort le Roi, la partie est finie.

A cause de son mouvement particulier, le rayon d'action du Roi se trouve réduit lorsque celui-ci se trouve sur les bords de l'échiquier, par conséquent sur les colonnes "a" ou "h", ou bien sur la première ou sur la dernière rangée, et minime lorsque celui-ci se trouve dans une case d'angle. Les diagrammes suivants illustrent visuellement ces concepts.

Diagramme 29. Mouvement du Roi
Le Roi ne se déplace que d'un seul pas à la fois mais aussi bien verticalement et diagonalement qu'horizontalement. Il ne peut par conséquent occuper que les cases immédiatement adjacentes à celle où il se trouve. Le Roi en e4 peut se porter dans n'importe laquelle des 8 cases marquées d'un astérisque

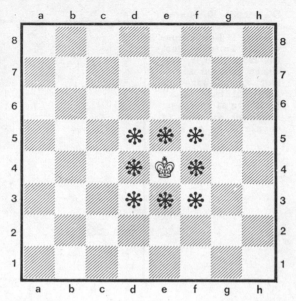

Diagramme 29 bis. Mouvement du Roi
Le rayon d'action du Roi devient limité lorsque celui-ci se trouve sur les bords de l'échiquier. Le Roi en g8 peut occuper l'une des cases marquées d'un astérisque, mais comme vous pouvez le constater, la position latérale restreint le champ d'action à 5 cases seulement

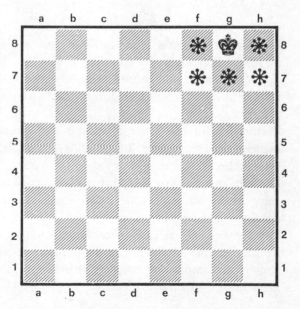

Diagramme 30. Mouvement du Roi
Lorsque le Roi se trouve dans l'une des quatre cases d'angle, son champ d'action se réduit au minimum, à seulement trois cases ! Le Roi en a1 peut donc seulement se déplacer en a2, b2 ou en b1

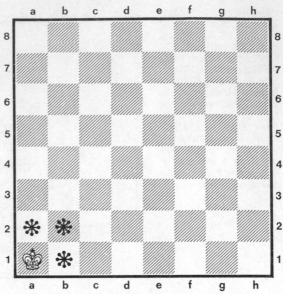

Le Roi est la seule pièce qui ne peut se laisser attaquer. Lorsqu'une pièce adverse l'attaque, il faut le déplacer en capturant l'attaquant avec une propre pièce ou avec le Roi lui-même, si cela est possible, ou encore en interposant une pièce entre l'attaquant et le Roi.

Quand le Roi est attaqué, c'est-à-dire quand une pièce adverse menace de la capturer au prochain coup, on dit que le Roi est "sous échec".

Du fait que le Roi ne peut jamais, pour aucune raison, rester sous échec, cette pièce ne peut jamais occuper une case qui soit dominée par une pièce adverse.

Par conséquent, si une pièce adverse domine certaines cases, le Roi ne peut les occuper. Les diagrammes suivants illustrent visuellement cet important concept, fondamental pour comprendre le mécanisme d'une partie d'échecs.

Diagramme 31. Mouvement du Roi
Le Roi blanc en g1 peut occuper l'une des deux cases indiquées par l'astérisque — f1, h1 — mais pas celles de la deuxième rangée dominées (comme le mettent en évidence les flèches) par la Tour noire

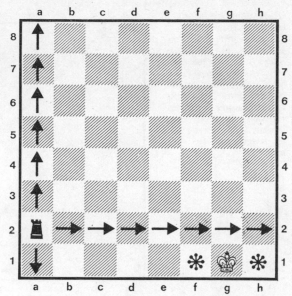

Diagramme 32. Mouvement du Roi
Le Fou noir placé en e6 empêche le Roi blanc en d4 d'aller dans les cases c4 et d5. Il limite donc le mouvement du Roi à six cases seulement, celles marquées d'un astérisque

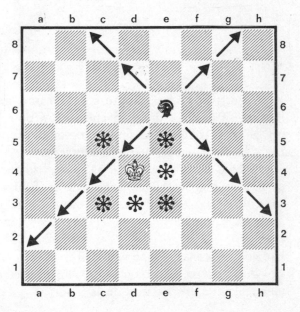

45

Diagramme 33. Mouvement du Roi
Le Fou noir placé en g3 empêche le Roi blanc en g2 de se porter dans les cases f2 et h2. Le Roi peut se déplacer dans les cinq cases marquées d'un astérisque et peut également se porter en g3, en capturant le Fou noir

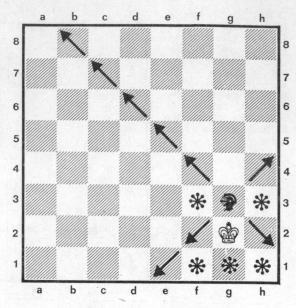

Il peut arriver qu'une propre pièce ou une pièce adverse interfère l'action de la pièce qui empêche au Roi de se déplacer, en lui accordant ainsi plus de possibilités de mobilité.

Dans le diagramme 34, par exemple, nous retrouvons la position examinée dans le diagramme 31, avec l'adjonction d'un Fou blanc en g2. Ce Fou interfère l'action de la Tour noire en lui ôtant le contrôle de la case h2. Le Roi blanc en g1 peut donc se porter aussi en h2 outre qu'en f1 et h1, selon l'indication des astérisques.

Par contre, dans le diagramme 35, le Fou noir qui empêche au Roi de se porter en e1 ou en g1, lui permet d'occuper la case g2 puisqu'il interfère l'action de la Tour.

Diagramme 34. Mouvement du Roi
Grâce à la présence du Fou en g2, le Roi blanc peut occuper aussi la case h2. Il dispose par conséquent de trois mouvements

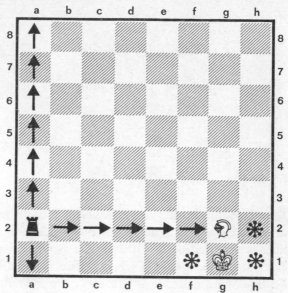

Diagramme 35. Mouvement du Roi
Le Fou noir enlève au Roi, situé en f1, la possibilité de se déplacer sur la première rangée, mais en interférant l'action de la Tour, il permet au Roi de se porter en g2

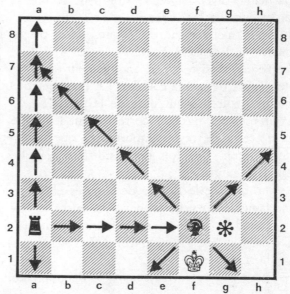

LE ROQUE ET SES LIMITATIONS

Le Roque

De même que les Rois ne conduisent plus leurs troupes à la guerre mais, en revanche, tendent tôt ou tard à se réfugier dans leurs solides tours gardées de chaque côté par la cavalerie et l'infanterie, ainsi, dans une partie d'échecs, assez semblable à une bataille de l'époque médiévale, le Roi blanc comme le Roi noir tendent à se murer dans leurs châteaux tandis que leurs armées luttent valeureusement sur le champ de bataille. Il existe, au jeu d'échecs, un coup particulier avec lequel le Roi peut se mettre en sûreté. C'est ce qu'on appelle le *Roque*.

Dans le mouvement du roque, deux pièces bougent simultanément : le Roi et la Tour.

Le roque consiste en un mouvement simultané du Roi avec l'une des Tours de même couleur. Ce mouvement ne peut être effectué qu'une seule fois au cours de la partie.

Pour pouvoir exécuter correctement le roque, il faut tenir compte de certaines règles importantes que nous énoncerons au cours de la leçon. Une fois ces conditions remplies, on procède de la manière suivante :

— on déplace le Roi de deux cases en direction de la Tour avec laquelle on veut roquer. On laisse le Roi dans cette case, on prend la Tour et, en passant par-dessus le Roi, on la place dans la case à côté de celui-ci. Tout se passe sur la même ligne horizontale ;

— pour roquer correctement, le débutant doit toujours se souvenir qu'il ne doit pas déplacer la Tour en premier. Il faut tout d'abord bouger le Roi de deux pas et placer ensuite la Tour à côté.

Il est toujours bon de respecter ces instructions étant donné qu'un adversaire, qui se conforme rigoureusement aux règles et entend les appliquer à la lettre, peut contraindre à ne déplacer que la Tour et empêcher la complète exécution du roque en faisant appel à la norme : pièce touchée, pièce jouée.

Il y a deux types de roque : le *petit roque* et le *grand roque*.

Le petit roque est celui qu'on effectue avec le Roi et la Tour, lorsqu'elle est située dans l'aile-Roi.

Le grand roque est celui qu'on effectue avec le Roi et la Tour, lorsqu'elle est située dans l'aile-Dame.

Voyons quelques exemples par des diagrammes qui aideront à comprendre plus rapidement.

Diagramme 36. Petit roque
Position du Roi et de la Tour avant le roque : comme on peut remarquer, le Roi et la Tour se trouvent dans les cases initiales de départ. Les flèches indiquent le mouvement du Roi et de la Tour pour roquer : le Roi se porte de la case e1 à la case g1, deux pas vers la droite. La Tour se déplace de la case h1 à la case f1, deux pas vers la gauche, en passant par-dessus le Roi

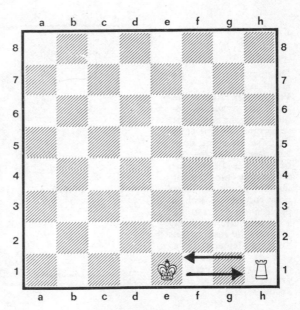

Diagramme 37. Le petit roque
Position finale du Roi et de la Tour après le petit roque, c'est-à-dire dans l'aile-Roi. Le Roi blanc se trouve maintenant en g1 et la Tour blanche en f1. Le roque est le seul coup dans lequel on déplace simultanément deux pièces

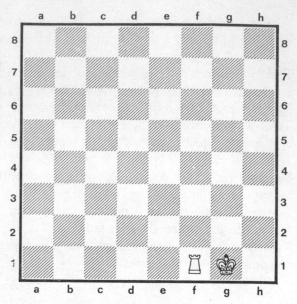

Diagramme 38. Le grand roque
Position du Roi et de la Tour avant le roque : comme on peut remarquer, le Roi et la Tour se trouvent dans les cases initiales de départ. Les flèches indiquent le mouvement du Roi et de la Tour pour roquer : le Roi se déplace de la case e1 à la case c1, de deux pas vers la gauche. La Tour se déplace de la case a1 à la case d1, de deux pas vers la droite, en passant pardessus le Roi

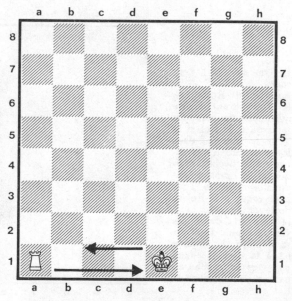

Diagramme 39. Le grand roque
Position finale du Roi et de la Tour après le grand roque, c'est-à-dire dans l'aile-Dame. Le Roi blanc se trouve maintenant en c1 et la Tour blanche en d1. Les règles sont bien entendu les mêmes pour les Noirs

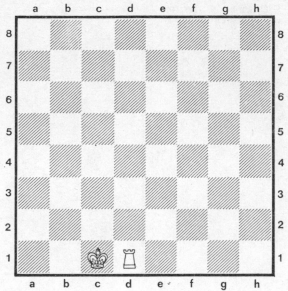

Impossibilité de roquer

Il existe différents cas où on ne peut pas roquer, il ne faut jamais les oublier. Très exactement on ne peut pas roquer :

● Une fois que le Roi a été déplacé, même s'il est retourné à sa position initiale.

● Si la Tour a été déplacée dans l'aile où l'on désire roquer et même pas si elle est retournée à sa place initiale.

● Si le Roi se trouve en échec.

● Si le roi en roquant passe dans une case attaquée par l'ennemi. Ce qui signifierait que le Roi se déplace pour se mettre en échec et cela est interdit par la règle.

● On ne peut pas non plus roquer s'il y a quelque pièce dans une case quelconque entre le Roi et la Tour avec laquelle on veut effectuer le roque.

Vous vous ferez une idée plus claire sur le thème que nous entendons expliquer dans cette leçon en jetant un coup d'œil sur les diagrammes suivants, chacun d'entre eux illustre ces règles.

51

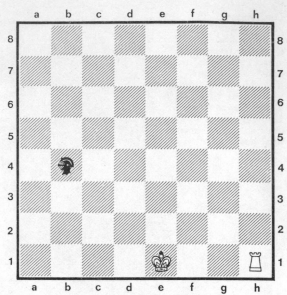

Diagramme 40. Le Roi est ici mis en échec par le Fou

Règle numéro 3. On ne peut roquer si le Roi se trouve sous échec !

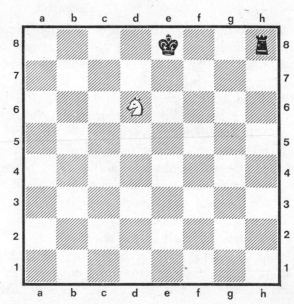

**Diagramme 41
Le Roi est mis en échec par le Cavalier**

Règle numéro 4. On ne peut roquer si le Roi en roquant doit passer par une case contrôlée par une pièce adverse.

Dans le diagramme 42, si les Blancs roquent, le Roi est mis en échec par la Tour. Il serait également impossible de roquer si la Tour se trouvait sur la colonne "d", tandis que le roque serait licite si la Tour était placée sur la colonne "b".

Dans la position du diagramme 43 les Noirs ne peuvent roquer, car dans ce cas le Roi en g8 serait mis en échec par la Dame blanche. Le roque ne serait pas possible non plus si la Dame blanche était placée sur la colonne "f", tandis qu'il serait licite si elle se trouvait sur la colonne "h".

Diagramme 42
La case indiquée par la flèche est attaquée par la Tour adverse

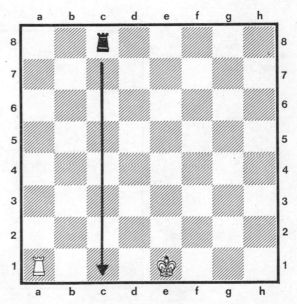

Diagramme 43
La case indiquée par la flèche est attaquée par la Dame adverse

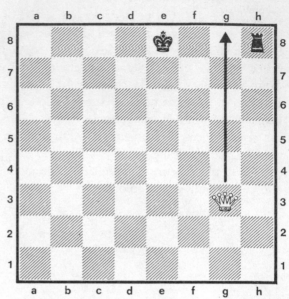

Diagramme 44
Le Fou adverse attaque la case par laquelle doit passer le Roi pour roquer

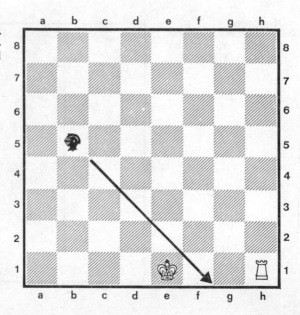

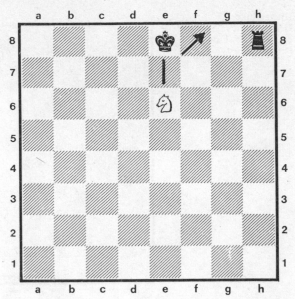

Diagramme 45
Le Cavalier adverse attaque la case par laquelle doit passer le Roi pour roquer

Règle numéro 5. On ne peut roquer si une pièce propre ou adverse se trouve entre le Roi et la Tour.

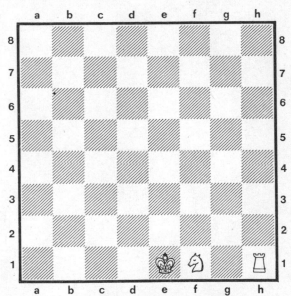

Diagramme 46
On ne peut roquer parce que le Cavalier blanc l'empêche

Diagramme 47
On ne peut roquer parce que le Fou blanc l'empêche

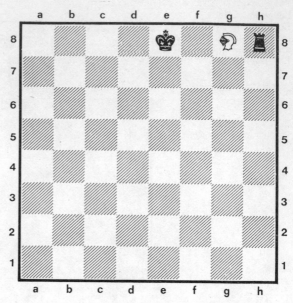

LE CAVALIER - LE PION

Le Cavalier

Le Cavalier a un mouvement particulier, on dit qu'il saute. Le Cavalier saute d'une case blanche à une case noire et vice versa. Il ne peut jamais aller sur une case de la même couleur que celle dont il provient.

Le Cavalier se déplace d'une case dans le sens horizontal ou vertical (comme la Tour) et d'une autre en diagonale (comme le Fou) en s'éloignant de la case d'où il est parti (diagramme 48).

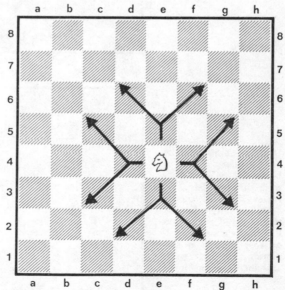

Diagramme 48. Marche du Cavalier
Le Cavalier en e4 peut se porter au choix sur une des huit cases marquées d'une flèche : f2, g3, g5, f6, d6, c5, c3, d2. Lorsque le Cavalier domine huit cases, à savoir le maximum possible, on dit qu'il dispose d'une "rose" complète de coups

Le Cavalier est la seule pièce dont la marche particulière n'est pas entravée par d'autres pièces propres ou adverses. En outre il peut tranquillement passer par-dessus les autres. Toutefois il ne peut se placer sur une case déjà occupée par une autre pièce de même couleur. Ce concept deviendra plus clair lorsque nous aborderons les règles de prise et de capture.

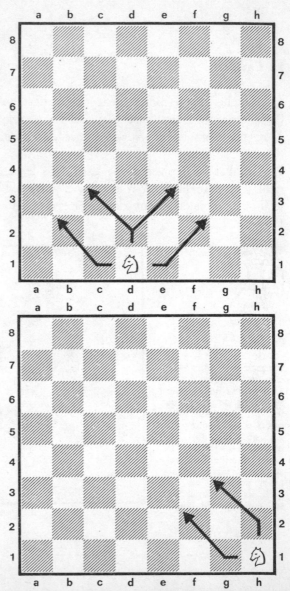

Diagramme 49. Marche du Cavalier
Le cavalier saute toujours d'une case blanche à une case noire et vice-versa en s'éloignant de la case de départ. Le Cavalier en d1 peut donc sauter dans les cases noires b2, c3, e3, f2

Diagramme 50. Marche du Cavalier
Dans une position latérale ou angulaire, le rayon d'action ou la "rose" du Cavalier se réduit. Le Cavalier en h1, par exemple, a une rose réduite au minimum, de deux cases seulement, à savoir f2 et g3

Le Pion

Chaque joueur dispose de huit Pions, il y en a donc seize au total. Ils représentent l'infanterie d'une grande bataille qui se combat sur 64 cases.

Les Pions se déplacent toujours vers l'avant et ne peuvent jamais reculer. Ce sont les héros de la bataille dont le code de l'honneur ne prévoit pas la fuite.

Ils avancent seulement d'une case à chaque fois, si ce n'est lors de leur position initiale où ils peuvent avancer de deux pas, si le joueur le désire.

Récapitulons

- Le Pion avance dans la colonne où il se trouve, en effectuant seulement un pas en avant et il ne peut jamais reculer.
- Lorsqu'il quitte sa position initiale (celle qui correspond à la position des pièces), le Pion peut avancer tant d'un que de deux pas, selon le désir du joueur.
- Une fois effectué son premier mouvement, le Pion peut avancer exclusivement d'un seul pas à chaque coup.

Essayons de clarifier le concept en considérant la position initiale des Pions, illustrée par le diagramme 51.

Tous les Pions sont à leur premier coup — mais prenez garde il s'agit du premier coup des Pions et non du premier coup de la partie — ils peuvent avancer d'une ou deux cases. Les flèches visualisent le mouvement possible de chaque Pion.

Diagramme 51. Mouvement du Pion
Les flèches visualisent le mouvement possible des Pions. Comme on voit, chaque Pion blanc ou noir peut avancer soit d'une case soit de deux, au choix du joueur. Par exemple, le Pion blanc qui se trouve dans la case e2 peut donc avancer dans la case e3 ou dans la case e4

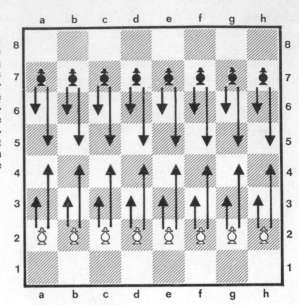

Diagramme 52. Mouvement du Pion
Lorsqu'il a été déplacé, c'est-à-dire lorsqu'il ne se trouve plus dans la case initiale, le Pion ne peut avancer que d'un seul pas à la fois. Par exemple, alors que les Pions a, b, c, d, f, g, h peuvent bouger en se déplaçant, au choix, d'un ou deux pas, le Pion e3 ne peut avancer que d'un seul pas, comme le visualisent les flèches

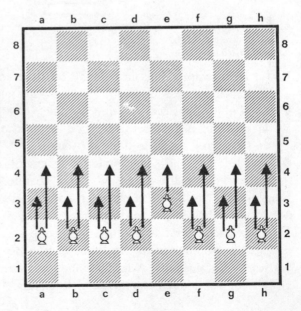

60

Diagramme 53. Mouvement du Pion
Le Pion en e4 peut être arrivé sur cette case en un seul coup (1. e2-e4) ou en deux coups (1. e2-e3 puis 2. e3-e4). Mais maintenant, il ne peut avancer que d'une seule case (e4-e5), alors que tous les autres Pions blancs peuvent bouger en avançant, au choix, d'un ou de deux pas

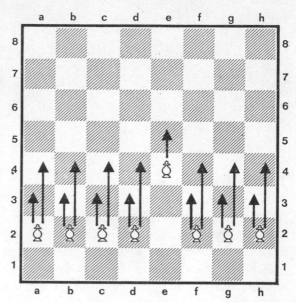

Diagramme 54. Mouvement du Pion
Il est important de se rappeler qu'un Pion peut être déplacé de deux pas, à partir de la case initiale c'est-à-dire de la deuxième traverse, à n'importe quel moment de la partie. Le déplacement de deux cases est par conséquent toujours possible, pourvu que le Pion soit déplacé pour la première fois. Dans le diagramme, tous les Pions blancs peuvent avancer de deux pas, exception faite pour le Pion en e5 qui a évidemment déjà été bougé, il ne pourra donc avancer que d'une seule case

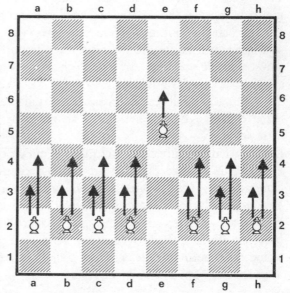

LES REGLES DE PRISE

La prise ou capture

Toutes les pièces — Roi compris — peuvent capturer n'importe quelle pièce, à la seule exclusion du Roi. Le Roi peut donc capturer (ou prendre, ou manger) mais ne peut être capturé : lorsque le Roi n'a aucune possibilité de se soustraire à la menace de capture, on dit qu'il est en position d'échec et mat et la partie se termine par la victoire de l'adversaire. Mais nous nous étendrons davantage sur ce sujet lors d'une prochaine leçon.

Les pièces capturent leurs adversaires selon leur propre mouvement, exception faite pour le Pion, comme nous verrons.

En fait, chaque pièce attaque les cases vers lesquelles elle peut se diriger et a la faculté de capturer n'importe quelle pièce située sur son trajet possible. Au jeu d'échecs, il n'est pas obligatoire de capturer les pièces adverses.

La capture se fait en enlevant matériellement de l'échiquier la pièce capturée et en mettant à sa place la pièce qui a effectué la capture.

Les diagrammes suivants expliqueront mieux ces règles.

Le discours change du tout au tout en ce qui concerne le Pion. Comme nous l'avons vu, le Pion avance toujours verticalement. Par contre, lorsqu'il capture, il avance en diagonale (comme un Fou) mais toujours d'un seul pas. Par conséquent, le Pion, en présence d'une pièce adverse sur sa propre colonne, ne peut ni avancer ni capturer celle-ci. Pour plus de clarté, reportez-vous aux diagrammes 71, 72, 73, 74 et 75.

CAPTURE AVEC LE ROI

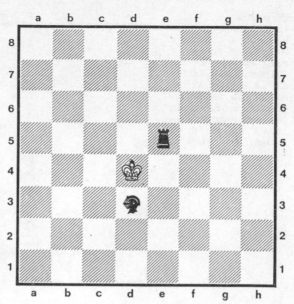

Diagramme 55
Le Roi blanc placé en d4 peut bouger dans trois cases seulement : c3, d3, e5. En se déplaçant dans la case d3 où se trouve le Fou noir, le Roi capture ce Fou. De même, en se déplaçant dans la case e5 où se trouve la Tour noire, le Roi capture cette Tour. Voyons les deux alternatives visualisées par les diagrammes 56 et 57

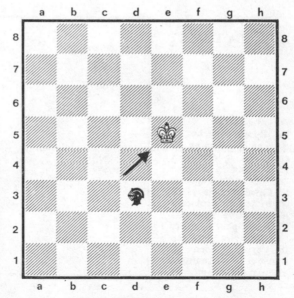

Diagramme 56
Le Roi blanc se déplace de la case d4 et capture la Tour noire en e5. Le coup, selon la notation d'échecs, s'écrit : 1.Rd4 : e5. La capture s'effectue en enlevant de l'échiquier la Tour noire, par conséquent en l'éliminant du jeu et en mettant à sa place le Roi

63

Diagramme 57
Le Roi blanc bouge de la case d4 et capture le Fou noir en d3. Le coup, selon la notation d'échecs, s'écrit 1.Rd4 : d3. La capture s'effectue en enlevant de l'échiquier le Fou noir, par conséquent en l'éliminant du jeu et en mettant à sa place le Roi

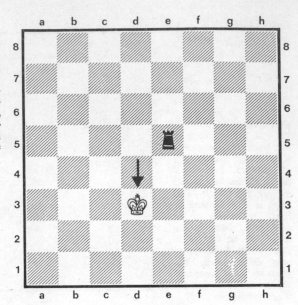

CAPTURE
AVEC LA DAME

Diagramme 58
La Dame blanche située en b4 domine 22 cases. En se déplaçant le long de la colonne "b" elle peut capturer le Cavalier noir placé en b7, en se déplaçant le long de la diagonale a3-f8 elle peut capturer la Tour noire placée en f8. Voyons les deux alternatives visualisées par les diagrammes 59 et 60

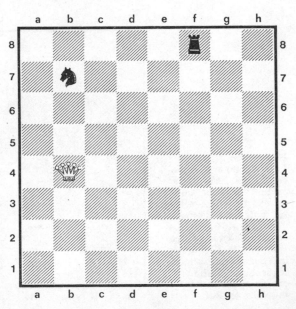

Diagramme 59
La Dame blanche se déplace de la case b4 et capture le Cavalier noir en b7. Le coup, selon la notation d'échecs, s'écrit 1.Db4:b7. La capture s'effectue en enlevant de l'échiquier le Cavalier noir, par conséquent en l'éliminant du jeu et en mettant à sa place la Dame

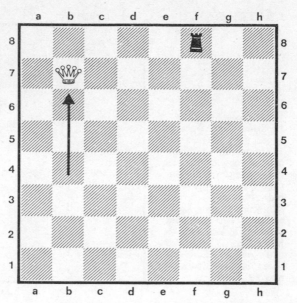

Diagramme 60
La Dame blanche se déplace de la case b4 et capture la Tour noire en f8. Le coup, selon la notation d'échecs, s'écrit 1.Db4:f8. La capture s'effectue en enlevant de l'échiquier la Tour noire, par conséquent en l'éliminant du jeu et en mettant à sa place la Dame

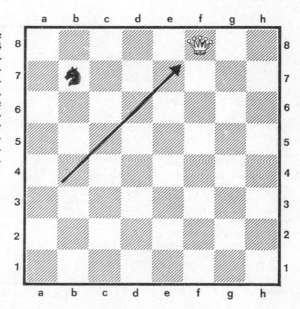

65

CAPTURE
AVEC LA TOUR

Diagramme 61
La Tour blanche placée en e3 peut circuler sur 12 cases. En se déplaçant le long de la troisième rangée, elle peut capturer le Cavalier noir situé en a3. En se déplaçant le long de la colonne "e", elle peut capturer le Fou noir situé en e6. Voyons les deux possibilités visualisées par les diagrammes 62 et 63

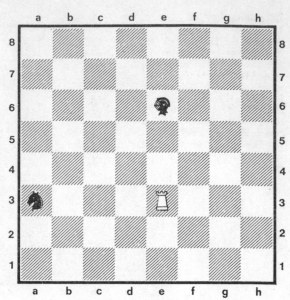

Diagramme 62
La Tour blanche se déplace de la case e3 et capture le Cavalier noir en a3. Le coup, selon la notation d'échecs, s'écrit 1. Te3:a3. La capture s'effectue en enlevant de l'échiquier le Cavalier noir, par conséquent en l'éliminant du jeu et en mettant à sa place la Tour

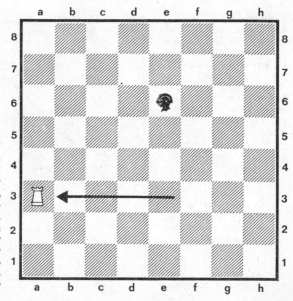

66

Diagramme 63
La Tour blanche se déplace de la case e3 et capture le Fou noir en e6. Le coup, selon la notation d'échecs, s'écrit 1.Te3 : e6. La capture s'effectue en enlevant de l'échiquier le Fou noir, par conséquent en l'éliminant du jeu et en mettant à sa place la Tour

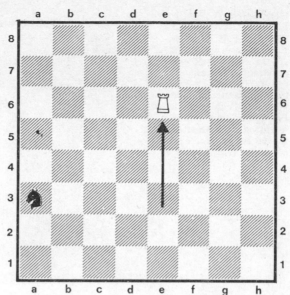

CAPTURE AVEC LE FOU

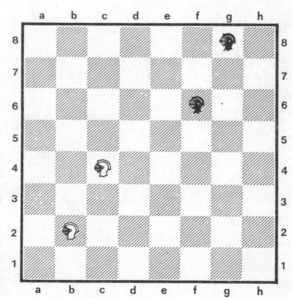

Diagramme 64
Les quatre Fous s'attaquent réciproquement: par conséquent, les Fous blancs peuvent capturer les Fous noirs et vice-versa. La capture n'étant pas obligatoire, le joueur peut effectuer la prise ou non et il peut choisir à son gré la pièce à capturer

67

Diagramme 65
Les Blancs capturent a-
vec leur Fou en c4 le
Fou adverse situé en
g8. Le coup, selon la
notation d'échecs, s'é-
crit 1. Fc4 : g8. La cap-
ture s'effectue en enle-
vant de l'échiquier le
Fou noir, par consé-
quent en l'éliminant du
jeu et en mettant à sa
place le Fou blanc.

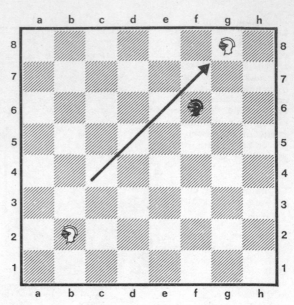

Diagramme 66
Les Blancs capturent a-
vec leur Fou en b2 le
Fou adverse placé en
f6. Le coup, selon la
notation d'échecs, s'é-
crit 1. Fb2 : f6. La cap-
ture s'effectue de la
même manière qu'aupa-
ravant

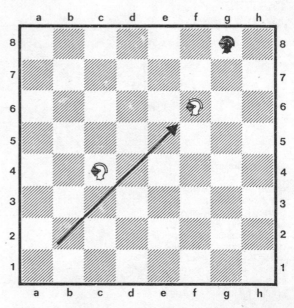

68

CAPTURE AVEC LE CAVALIER

Díagramme 67

Le Cavalier placé en d3 dispose d'une rose complète, c'est-à-dire qu'il domine huit cases. Le Cavalier blanc peut capturer à sa guise n'importe quelle pièce noire présente sur l'échiquier. La capture s'effectue en enlevant de l'échiquier la pièce noire, par conséquent en l'éliminant du jeu et en mettant à sa place le Cavalier. Les diagrammes suivants illustrent visuellement les trois captures possibles

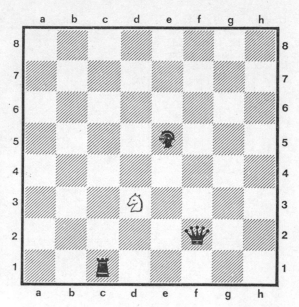

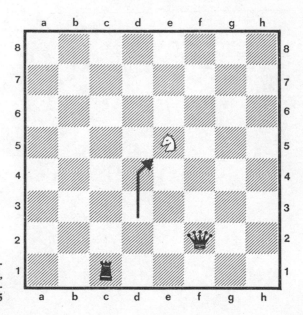

Diagramme 68

Le Cavalier blanc capture le Fou. Le coup, selon la notation d'échecs, s'écrit 1.Cd3:e5

Diagramme 69
Le Cavalier blanc a capturé la Dame adverse. Le coup, selon la notation d'échecs, s'écrit 1.Cd3 : f2

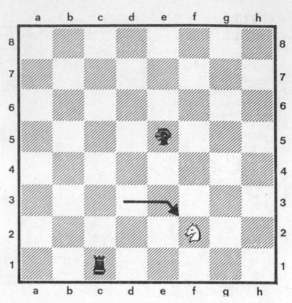

Diagramme 70
Le Cavalier blanc a capturé la Tour noire. Selon la notation d'échecs, le coup s'écrit 1.Cd3 : c1

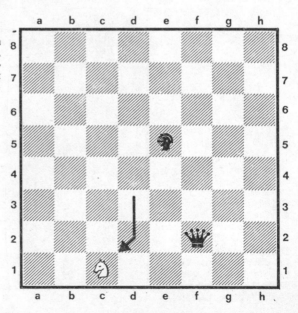

CAPTURE AVEC LE PION

Diagramme 71
Le Pion blanc en d4 a trois possibilités de mouvement. Il peut capturer le Cavalier noir ou la Tour noire ou bien il peut avancer dans la case d5. Le Pion est la seule pièce de l'échiquier qui se déplace d'une autre façon pour capturer. En effet, le Pion avance verticalement mais capture diagonalement en ne se déplaçant toujours que d'une seule case vers l'avant. Les diagrammes 72 et 73 illustrent visuellement les deux alternatives de prise du Pion

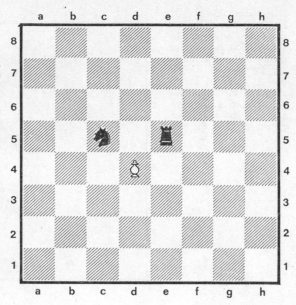

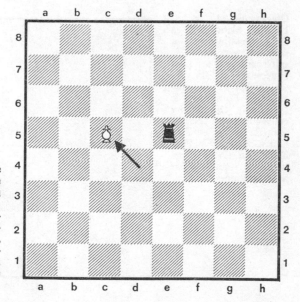

Diagramme 72
Le Pion blanc capture le Cavalier adverse. Le coup, selon la notation d'échecs, s'écrit 1.d4 : c5. La capture s'effectue en enlevant de l'échiquier le Cavalier, par conséquent en l'éliminant du jeu et en mettant à sa place le Pion

71

Diagramme 73
Le Pion blanc capture la Tour adverse. Le coup, selon la notation d'échecs, s'écrit 1.d4 : e5. La capture s'effectue en enlevant de l'échiquier la Tour, par conséquent en l'éliminant du jeu et en mettant à sa place le Pion

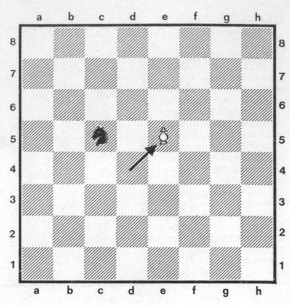

Diagramme 74
Le Pion blanc en f5 a deux possibilités : il peut soit avancer en f6 soit capturer le Pion adverse en e6. La capture s'effectue en enlevant de l'échiquier le Pion noir en e6, par conséquent en l'éliminant du jeu et en mettant à sa place le Pion blanc. La position obtenue est visualisée par le diagramme 75

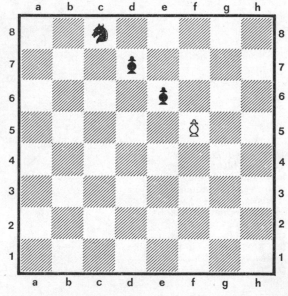

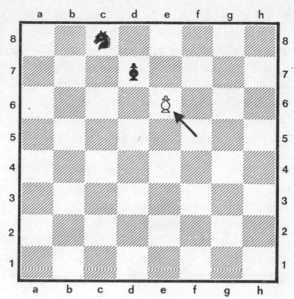

Diagramme 75
Les Blancs ont capturé avec leur propre Pion en f5 le Pion noir en e6. Ce coup, selon la notation d'échecs, s'écrit 1.f5 : e6. Maintenant, le Pion noir en d7 peut à son tour capturer le Pion blanc

La prise "en passant"

Le Pion jouit d'une prérogative particulière en ce qui concerne la prise. Cette prérogative n'est qu'une capture réciproque entre Pions et elle s'appelle "prise en passant".

Lorsqu'un Pion a atteint la cinquième rangée de sa propre formation (par conséquent cinquième rangée pour les Blancs et quatrième pour les Noirs) et qu'un Pion adverse se place sur la colonne contiguë à la sienne en effectuant deux pas depuis la case de départ, le premier Pion peut capturer le second comme si ce dernier n'avait franchi qu'un seul pas.

Les diagrammes suivants illustrent visuellement la règle dont la compréhension apparaîtra ainsi plus facile.

Rappelons quand même que :

● La prise en passant ne concerne que les Pions.
● La prise en passant n'est pas obligatoire, elle n'a donc lieu que si le joueur la juge opportune.

73

● La prise en passant doit être effectuée immédiatement sinon le joueur est privé du droit de l'exécuter.

● La prise en passant a seulement lieu entre Pions situés sur des colonnes contiguës, pourvu que le Pion capturé ait bougé de deux pas à partir de sa case initiale de départ.

Examinons visuellement cette règle. Le diagramme 76 montre la position base : le Pion blanc a atteint la cinquième rangée, le Pion noir se trouve dans la case de départ sur la colonne adjacente.

Dans le diagramme 77, nous voyons que les Noirs ont déplacé leur propre Pion de deux pas. Maintenant, les deux Pions sont alignés sur des colonnes adjacentes : les conditions se vérifient pour la prise en passant.

Dans le diagramme 78, nous voyons la position obtenue une fois que les Blancs ont effectué la prise en passant : le Pion blanc a capturé l'adversaire comme si ce dernier n'avait fait qu'un seul pas.

Diagramme 76. Prise en passant
Pour que se vérifie la possibilité d'effectuer la prise en passant, il est nécessaire que le Pion ait atteint sa cinquième traverse. Ici, le Pion blanc a réalisé cette condition

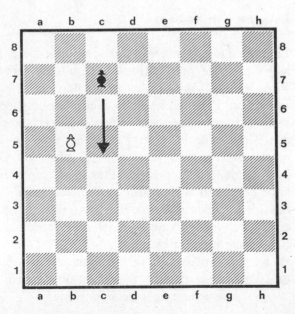

Diagramme 77. Prise en passant
Pour que se vérifie la possibilité d'effectuer la prise en passant, il est nécessaire que le Pion, qui sera capturé, soit poussé en avant de deux pas depuis sa case de départ et qu'il se trouve sur une colonne contiguë à celle du Pion qui effectuera la prise. Ayant joué 1... c7-c5, les Noirs réalisent les deux conditions pour que l'adversaire puisse effectuer la prise en passant

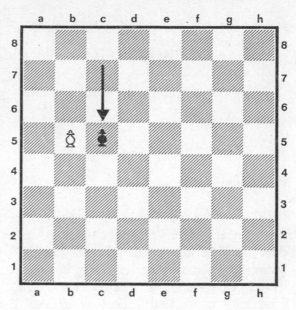

Diagramme 78. Prise en passant
Les Blancs prennent en passant. Ce coup, selon la notation d'échecs s'écrit 2.b5 : c6 a.p. La capture s'effectue en enlevant de l'échiquier le Pion c5, par conséquent en l'éliminant du jeu et en avançant le Pion blanc d'une case en diagonale, c'est-à-dire en c6, comme si les Noirs avaient poussé leur propre pion d'un seul pas

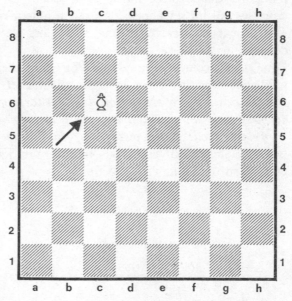

PROMOTION DU PION

Promotion du Pion

Un Pion, grâce à ses avances successives, peut arriver jusqu'à la dernière rangée de l'échiquier. C'est ce qu'on appelle promotion du Pion et le joueur qui promeut l'un de ses pions doit immédiatement le transformer en n'importe quelle pièce de même couleur, à l'exception du Roi et du Pion.

C'est ainsi qu'un joueur peut avoir deux Dames ou même plus et aussi trois ou quatre Fous, car un Pion peut se transformer en n'importe quelle pièce même si le joueur est déjà en possession de celles qui lui reviennent. Ainsi, un joueur qui a gardé ses deux Tours peut en demander une autre lors de la promotion d'un de ses Pions.

Pour mieux comprendre ce que l'on vient d'exposer, il vous suffit d'apprendre par cœur la règle suivante et de l'imprimer dans votre esprit : *il y a promotion du Pion lorsque celui-ci arrive à la dernière case d'une colonne et se transforme par conséquent en n'importe quelle autre pièce, sauf en Roi ou en un autre Pion.*

Les diagrammes suivants vous montreront quelques exemples de promotion du Pion.

Diagramme 79

Les Blancs, par des a-
vances successives, peu-
vent porter leur pro-
pre Pion en f2, à la
dernière traverse. Cinq
ou six coups sont né-
cessaires pour que le
Pion, en partant de sa
case d'origine, arrive à
la dernière traverse
(première traverse en ce
qui concerne les Noirs),
comme vous pouvez fa-
cilement le constater,
selon que le Pion ait
été bougé d'un ou de
deux pas lors de son
premier mouvement

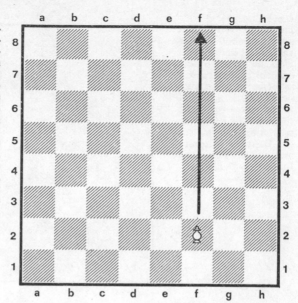

Diagramme 80

Lorsqu'un Pion arrive
à la dernière traverse
(évidemment à la pre-
mière s'il s'agit d'un
Pion noir), la promo-
tion est obligatoire,
c'est-à-dire que le jou-
eur doit le remplacer
par une autre pièce de
même couleur selon
son choix. On parle de
"promotion" car, com-
me nous verrons mieux
par la suite, le Pion
est considéré comme la
pièce la plus faible de
l'échiquier

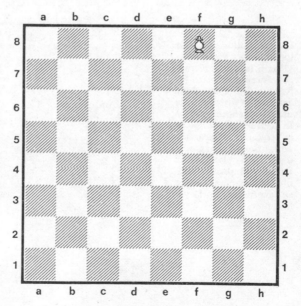

Diagramme 81
La promotion s'effectue matériellement en enlevant de l'échiquier le Pion, on l'élimine donc du jeu et l'on met à sa place la pièce choisie. Le joueur peut choisir la pièce qu'il désire, sans limitation ou restriction d'aucune sorte. Dans ce diagramme, le Pion s'est transformé en Dame

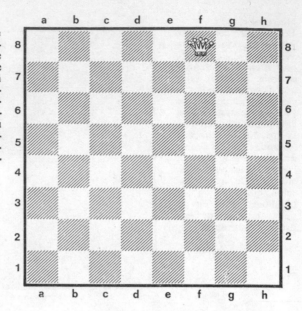

Diagramme 82
La promotion se fait lorsque le Pion parvient à la dernière rangée (première pour les Noirs). Le Pion peut également arriver à la dernière rangée grâce à la capture d'une pièce adverse. Le diagramme nous donne l'exemple d'un Pion blanc situé en d7 qui peut atteindre la dernière rangée en capturant le Cavalier noir

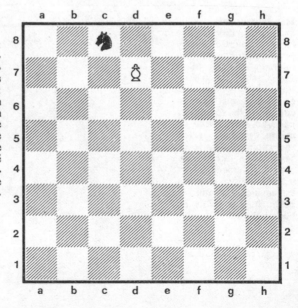

Diagramme 83
Les Blancs ont capturé le Cavalier adverse avec le Pion qui a ainsi atteint la dernière rangée et c'est alors qu'il y a promotion du Pion, c'est-à-dire que les Blancs doivent substituer le Pion par une pièce de leur choix

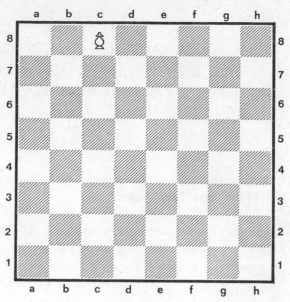

Diagramme 84
Les Blancs substituent le Pion par la Tour et c'est à ce moment-là seulement que le coup est complet. Selon la notation d'échecs, le coup joué par les Blancs s'écrit 1.d7:c8 = T (ce qui signifie que le Pion en d7 capture la pièce adverse en c8 et est substitué par la Tour)

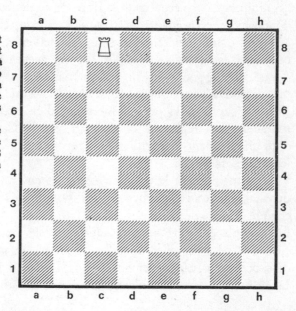

EXEMPLES PRATIQUES DE PRISE ET DE MOUVEMENT DES PIECES VALEUR DES PIECES

Exemples pratiques concernant le mouvement des pièces sur l'échiquier

Examinons quelques exemples pratiques relatifs au mouvement des différentes pièces, cela nous aidera à mieux comprendre ce qui a été exposé au cours des leçons précédentes.

Néanmoins, gravons auparavant dans notre mémoire certaines règles essentielles.

Le mouvement des pièces se déroule évidemment à l'intérieur de l'échiquier. Une pièce est donc libre de se déplacer jusqu'aux bords de l'échiquier (première et dernière rangée, colonne "a" et "h") à moins qu'elle ne rencontre sur son chemin des pièces propres ou adverses. Dans le premier cas, la pièce doit s'arrêter, étant donné qu'elle ne peut ni passer par-dessus ni occuper la case où se trouve son compagnon. Dans le second cas, il lui est possible de capturer la pièce adverse et d'en occuper la case. Naturellement, ces règles ne concernent pas le Cavalier qui est doté d'un mouvement particulier lui permettant de sauter par-dessus les autres pièces.

Voyons maintenant le premier exemple, en considérant la position du diagramme 85. Analysons les possibilités de mouvement de chaque pièce.

Le Roi placé en h2 peut bouger dans les cases g1, g3, h3. Par contre il ne peut aller dans les cases h1 et g2 puisqu'elles sont déjà occupées respectivement par la Dame et le Fou.

La Dame placée en h1 n'a qu'une seule possibilité : en effet, elle peut seulement aller dans la case g1, vu que le Roi, le Fou et le Cavalier lui barrent tout autre mouvement.

La Tour placée en a1 peut avancer d'une seule case le long de la colonne "a", vu que sa route est ensuite interrompue par le Pion en a3, elle peut cependant se déplacer sur quatre cases de la première traverse (b1, c1, d1, e1), puis elle doit s'arrêter parce qu'elle rencontre le Cavalier.

Le Fou placé en g2 peut bouger d'une seule case le long de la diagonale h1-a8 et d'une seule case aussi le long de la diagonale f1-h3.

Le Cavalier placé en f1 a le choix entre trois mouvements : il peut sauter en d2, e3, g3, mais il ne peut occuper la case h2 car le Roi s'y trouve déjà.

En dernier lieu les Pions. Le Pion en a3 ne peut se déplacer, étant donné que la case a4 est occupée par un autre Pion. Par contre, le Pion en a4 et le Pion en e4 peuvent avancer d'un pas. Une pièce peut donc être complètement immobilisée par ses pro-

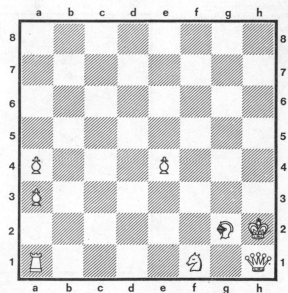

Diagramme 85
Exemples pratiques sur la marche des pièces

pres compagnons. Le diagramme 86 illustre clairement cette affirmation.

En effet, dans le diagramme 86, le Cavalier placé en f1 et le Fou placé en g2 ne peuvent se déplacer. Il vous est facile de le constater. Le Roi placé en h1 a seulement la possibilité de se déplacer sur la case g1.

Le Cavalier placé en g3 a le choix entre quatre mouvements possibles : il peut sauter en e2, e4, f5, h5, mais il ne peut aller en f1 et h1, ces cases étant déjà occupées.

Pour finir, les Pions. Les Pions en e3, f3, h3 peuvent seulement avancer d'un pas. Le Pion en d2 — vu qu'il se trouve encore dans sa case initiale — peut avancer au choix d'un ou de deux pas. Le Pion en h2 ne peut se déplacer, en effet il est bloqué par l'autre Pion en h3.

Diagramme 86
Exemples pratiques sur la marche des pièces

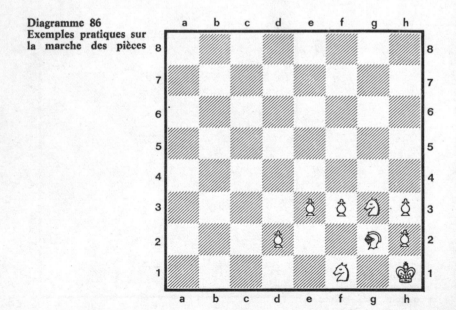

Exemples pratiques concernant les règles de prise

Nous avons déjà expliqué comment se fait la prise ou la capture ;
la pièce qui effectue la capture occupe la case où se trouvait la
pièce adverse, celle-ci est alors enlevée de l'échiquier et par conséquent est éliminée du jeu.
Voyons quelques exemples pratiques.
Le diagramme 87 illustre très bien le mécanisme de la marche du
Cavalier. Bien qu'il soit encerclé par trois de ses compagnons,
le Cavalier noir placé en h8 peut sauter soit en f7 soit en g6, à
savoir en passant matériellement au-dessus des autres pièces. La
marche du Cavalier ne peut donc rencontrer aucun obstacle si ce
n'est lorsque la case d'arrivée est occupée par une pièce de même
couleur.

Diagramme 87
**Exemples pratiques sur
la marche des pièces**

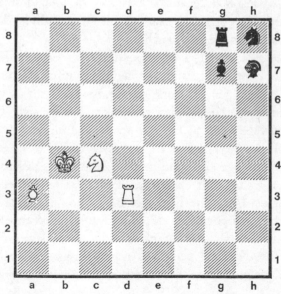

83

Poursuivons par l'analyse de la marche possible des pièces noires dans le diagramme 87. La Tour placée en g8 peut se déplacer sur six cases de la dernière rangée, seule la case h8 occupée par le Cavalier lui est interdite. Le Pion en g7 empêche la Tour de se déplacer sur la colonne "g".

Le Fou en h7 peut se déplacer sur quatre cases de la diagonale b1-h7, en allant dans la case d3 il capture la Tour blanche.

Le Pion en g7, en considérant qu'il se trouve encore dans sa case d'origine, peut se déplacer à sa guise d'un ou de deux pas. Passons maintenant aux pièces blanches. Remarquons qu'aucune d'entre elles ne peut effectuer une capture.

Le Roi blanc en b4 peut bouger de six façons différentes, seules les cases a3 et c4 déjà occupées lui sont interdites. La Tour en d3 peut se déplacer sur toutes les cases de la colonne "d" et sur toutes celles de la troisième rangée, exception faite pour la case a3.

Le Cavalier placé en c4 dispose d'une rose quasi complète : il peut sauter dans sept cases, néanmoins la case a3 lui est interdite.

Voyons maintenant la position du diagramme 88.

Commençons par examiner les possibilités de mouvement et de prise des pièces blanches.

Le Roi en d1 a trois possibilités : en c2, d2, e1, il ne peut se déplacer en c1 car il y a la Dame, ni en e2 car il y a le Pion.

La Dame en c1 a une seule possibilité sur la première rangée : en effet, elle peut aller seulement sur la case b1. Elle ne peut se porter en a1 car la Tour s'y trouve, ni en c1 car le Roi s'y trouve, ni en e1, f1, g1 et h1 non plus car le Roi l'en empêche en considérant que la Dame ne peut passer par-dessus.

La Dame peut ensuite se déplacer sur les deux cases de la diagonale c1-a3. Sur la diagonale c1-h6, la Dame blanche n'a qu'une case à sa portée, la d2, elle ne peut aller en e3 étant donné que le Cavalier s'y trouve, ni dans les cases successives de la diagonale puisqu'elle ne peut passer par-dessus le Cavalier. Enfin, la Dame blanche dispose de cinq possibilités : elle peut se porter en c2,

84

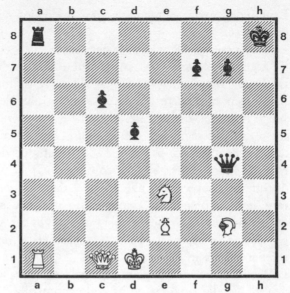

Diagramme 88
Exemples pratiques sur
la marche des pièces

c3, c4, c5 et c6 ; dans ce dernier cas la Dame blanche capture
le Pion noir situé en c6.

La Tour blanche en a1 peut bouger le long de la colonne " a ". Si
elle va en a8, elle capture la Tour adverse et l'élimine ainsi du
jeu. Par contre, la Tour blanche n'a qu'une seule case à sa portée
sur la première rangée, la b1, étant donné que la Dame lui empêche tout autre mouvement sur cette rangée.

Le Fou blanc en g2 peut occuper les deux cases de la diagonale
f1-h3. Sur la diagonale h1-a8, il a le choix entre quatre mouvements : il peut aller en h1, f3, e4 et d5. Dans ce dernier cas, le
Fou blanc capture le Pion noir en d5.

Le Cavalier blanc en e3 a six possibilités : seules les cases d1 et
d2 déjà occupées par des pièces blanches lui sont interdites mais
il peut sauter en c2, c4, d5, f5, g4, f1. S'il se déplace en d5
ou en g4, le Cavalier blanc capture respectivement le Pion noir
en d5 ou la Dame noire en g4. Le Cavalier empêche le Pion en
e2 de se déplacer.

Examinons maintenant quels sont les coups à disposition des pièces noires.

Le Roi noir en h8 a deux possibilités : il peut se porter soit en h7 soit en g8, mais pas en g7 car un Pion noir s'y trouve déjà. La Dame noire en g4 peut se déplacer le long de la quatrième rangée sur n'importe quelle case et le long de la diagonale h3-c8 sur n'importe quelle case également, pourvu qu'elle ne rencontre aucun obstacle sur son chemin. Sur la diagonale d1-h5, elle dispose de trois coups : h5, f3, e2, dans ce dernier cas en capturant le Pion blanc. Sur la colonne "g", la Dame noire dispose de quatre coups : g6, g5, g3, g2, dans ce dernier cas en capturant le Fou blanc. La Dame noire ne peut se porter en g7 car un Pion noir s'y trouve déjà, ni en g8 car elle ne peut passer par-dessus le Pion en g7, ni non plus en g1 car elle ne peut passer par-dessus le Fou en g2.

La Tour noire en a8 peut se déplacer tout le long de la colonne "a". Si elle se porte en a1, elle capture la Tour adverse et l'élimine du jeu. Sur la dernière rangée, elle dispose de six coups possibles : en effet, seule la case h8 lui est interdite car le Roi noir s'y trouve.

Enfin les Pions noirs. Ceux en c6 et d5 peuvent seulement avancer d'un pas. Ceux en g7 et f7, puisqu'ils se trouvent encore dans la case initiale, peuvent par contre avancer à leur gré d'un ou de deux pas. Notons qu'en raison du mécanisme de prise particulier du Pion, qui mange en diagonale, le Pion en c6 "défend" le Pion en d5. C'est un concept que nous expliquerons mieux par la suite.

Valeur des pièces

La valeur des différentes pièces se trouvant sur l'échiquier dépend de leur position. Cela n'empêche pas néanmoins de pouvoir attribuer un certain nombre de points à chaque pièce.

Il est important de savoir combien vaut la Dame ou la Tour par rapport au Fou ou au Cavalier ou aux huit Pions.

Comme nous l'avons déjà dit, il est très difficile d'évaluer les pièces avec exactitude, étant donné que leur valeur dépend toujours de la position à laquelle elles sont arrivées.

En prenant le Pion comme unité de mesure, la valeur des pièces est approximativement la suivante :

Dame	10	points
Tour	5	points
Fou	3	points
Cavalier	3	points
Pion	1	point

On observe par conséquent que :
la Dame équivaut à 2 Tours ;
la Dame équivaut à 3 pièces mineures ;
la Tour est inférieure à 2 pièces mineures ;
3 Pions équivalent à une pièce mineure (Fou ou Cavalier).

Lorsqu'on perd une Tour par un Fou ou un Cavalier de l'adversaire, on dit habituellement qu'on a perdu la qualité.

Le Roi ne peut être comparé aux autres pièces puisqu'il ne peut être capturé. Effectivement, sa capture est synonyme de partie perdue. Nous devons souligner qu'en réalité la valeur des pièces dépend toujours du rôle qu'elles assument dans chaque position. Abstraction faite de cette relativité, les auteurs ont donné diverses valeurs aux pièces d'échecs, selon la hiérarchie qui les caractérise.

Il peut être intéressant d'observer certaines évaluations faites au cours des années par quelques grands champions qui ont voulu mettre en évidence les rapports mathématiques de valeur entre chaque pièce, au delà de toute évaluation due à la position particulière atteinte.

En prenant le Pion comme unité de mesure, Staunton [1] attribua ces valeurs :

Pion	1,00	points
Cavalier	3,05	points
Fou	3,50	points
Tour	5,48	points
Dame	9,94	points

De son côté, Lasker [2] offrit cette autre évaluation intéressante :

Pion	1,00	points
Cavalier	3,42	points
Fou	3,68	points
Tour	4,95	points
Dame	8,38	points

En dernier, Tartakower [3] généralisa ainsi les valeurs :

Pion	1,00	points
Cavalier	3,00	points
Fou	3,00	points
Tour	5,00	points
Dame	10,00	points

[1] Howard Staunton, anglais (1810-1874) est considéré comme le précurseur de l'école du début du XXᵉ siècle. Bon joueur, il fonda en 1840 la revue "The chess player's chronicle". Il fut particulièrement célèbre pour ses études shakespeariennes.

[2] Emanuel Lasker, allemand (1868-1941), devint champion du monde en battant Steinitz en 1894. Il conserva le titre, en le défendant victorieusement six fois, jusqu'en 1921 où il fut vaincu par le cubain Capablanca. Il était professeur de mathématiques.

[3] Savieli Tartakower, russo-français (1887-1956), licencié en droit, fut l'auteur de nombreuses œuvres sur les échecs. Excellent joueur, il collectionna une foule d'importantes victoires lors de grands tournois internationaux.

L'ECHEC - L'ECHEC ET MAT

L'échec

L'échec consiste à attaquer le Roi avec une pièce adverse. Chaque fois que cela se vérifie, on doit rendre vaine l'attaque de l'adversaire lors du coup successif, soit en le capturant, soit en interposant entre le propre Roi et l'adversaire une pièce qui bloque l'attaque, soit en déplaçant le Roi sur une case non menacée. Pour conclure, le Roi peut capturer mais ne doit jamais être capturé. Lorsque le Roi est attaqué, on dit qu'il est *sous échec*. Par conséquent, lorsque notre Roi se trouve en échec, nous devons :

a) capturer la pièce qui menace l'échec ;

b) interférer avec une propre pièce l'échec ;

c) déplacer le Roi en lui évitant l'échec.

Nous devons en outre nous rappeler que l'échec reçu par un Cavalier ne peut être éliminé en intercalant une propre pièce. En effet cela est impossible à cause du mouvement particulier du Cavalier.

Le Roi ne doit jamais rester ou se mettre en échec. Le Roi ne pourra jamais s'approcher du Roi adverse, car ce dernier domine toutes les cases qui l'entourent.

Dans la position illustrée par le diagramme 89, le Roi noir ne peut bouger que sur trois des huit cases dont il dispose théoriquement.

Il ne peut se déplacer sur aucune case de la colonne "h", étant donné que ces cases sont menacées par la Tour blanche en h1.

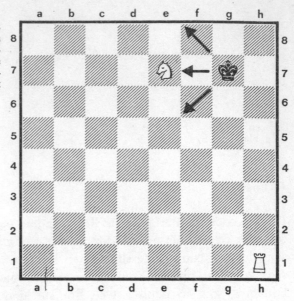

Diagramme 89
Le Roi noir peut seulement se déplacer dans les trois cases de la colonne "f". Tout autre mouvement lui est interdit car il le mettrait en échec

Et il ne peut se déplacer sur les deux cases de la colonne "g", puisque ces cases sont menacées par le Cavalier en e7. Il peut par conséquent aller seulement sur les trois cases de la colonne "f", à savoir en f8, f7, f6, comme l'indiquent les flèches.

Exemples d'échec

Les diagrammes suivants illustrent quelques exemples d'échec avec les différentes pièces.

Dans le diagramme 90, le Roi noir est mis en échec par le Pion blanc en e5. Nous ne devons pas oublier effectivement que le Pion avance verticalement mais capture diagonalement et par conséquent ne peut menacer que les pièces avec lesquelles il se trouve en contact par l'intermédiaire des diagonales. Il suffit que le Roi noir se déplace dans la case e6 pour ne plus être sous échec, justement parce que le Pion ne capture pas verticalement mais, nous le répétons, seulement dans le sens diagonal.

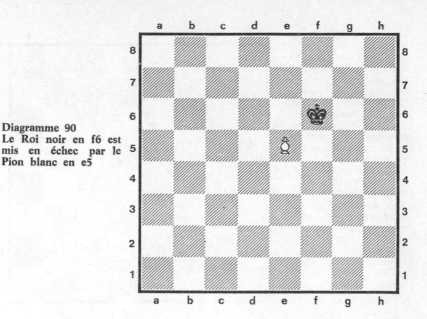

Diagramme 90
Le Roi noir en f6 est
mis en échec par le
Pion blanc en e5

Voici maintenant d'autres exemples d'échec avec un Cavalier, un
Fou, une Tour et une Dame.

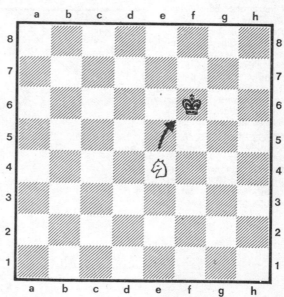

**Diagramme 91. Echec
de Cavalier**
Le Cavalier en e4 met
le Roi noir en f6 en
échec. Etant donné le
mouvement particulier
du Cavalier qui se dé-
place en sautant, l'é-
chec de la part d'une
telle pièce ne peut être
évité en interposant
d'autres pièces. Pour é-
viter l'échec, il est par
conséquent nécessaire
de capturer le Cavalier
ou de déplacer le Roi.
Remarquons que le Roi
ne peut se déplacer sur
la case g5 car il reste-
rait sous échec

Diagramme 92. Echec de Fou

Le Fou en b3 met en échec le Roi noir en f7 qui se trouve sur la diagonale a2-g8 contrôlée par ce Fou. L'échec peut être évité en capturant le Fou ou en déplaçant le Roi ou bien en interposant une pièce noire sur une des cases suivantes : c4, d5, e6, au choix.
Notons que le Roi ne peut se déplacer sur les cases e6 ou g8 car il resterait sous échec

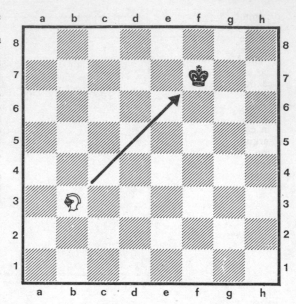

Diagramme 93. Echec de Tour

La Tour blanche en f2 met en échec le Roi noir qui se trouve en f7, c'est-à-dire sur la colonne dominée par la Tour. On évite l'échec en capturant la Tour ou en déplaçant le Roi ou encore en interposant une pièce noire sur l'une des cases suivantes : f3, f4, f5, f6.
Notons que le Roi ne peut se déplacer sur les cases f6 ou f8, car il resterait sous échec

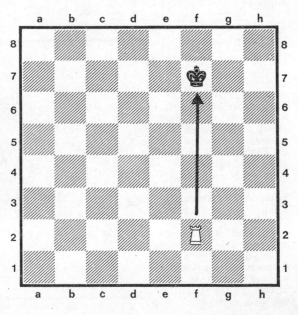

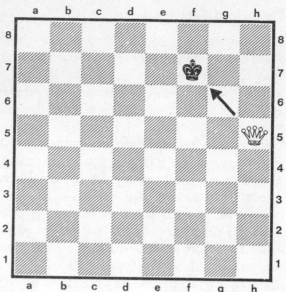

Diagramme 94. Echec de Dame
La Dame blanche en h5 met en échec le Roi noir en f7. On évite l'échec en capturant la Dame ou en déplaçant le Roi ou en interposant une pièce noire entre la Dame et le Roi, sur la case g6
Remarquons que le Roi ne peut se déplacer sur la case e8 car il resterait sous échec

L'échec et mat

Lorsqu'un Roi en échec ne peut se déplacer sur aucune des cases qui l'entourent, soit parce qu'elles sont occupées par des pièces propres ou adverses défendues, soit parce qu'elles sont dominées par des pièces adverses, et lorsqu'il ne peut pas non plus capturer la pièce qui le met en échec et qu'on ne peut interposer une pièce pour empêcher l'échec, on dit que ce Roi est en position d'échec et mat. Le joueur qui subit l'échec et mat a perdu la partie. Par conséquent, il y a échec et mat lorsque :

a) le Roi ne peut se déplacer et ne peut échapper à l'échec ;

b) la pièce qui provoque l'échec ne peut être capturée ;

c) il n'est pas possible d'éviter l'échec en interposant une pièce.

Normalement, on n'arrive jamais à l'échec et mat dans les parties courantes et encore moins dans les tournois. En effet, lorsque le joueur s'aperçoit d'avoir irrémédiablement perdu la partie, il se rend avant l'échec et mat en disant "j'abandonne".

Si aucun des deux joueurs n'a suffisamment de matériel pour faire échec et mat, on dit que la partie est nulle.

Exemples d'échec et mat

Les diagrammes suivants illustrent quelques exemples d'échec et mat avec les différentes pièces. Pour faciliter notre analyse, ce seront toujours les Blancs qui feront échec et mat aux Noirs. Nous attirons dès maintenant l'attention du débutant sur le rôle capital que joue le Roi blanc dans la plupart des positions que nous examinerons pour permettre l'échec et mat. Pour bien comprendre cette notion fondamentale, comparons les diagrammes 95 et 96. Sur le diagramme 95, le Roi noir se trouve en position d'échec et mat puisqu'il est attaqué par la Tour blanche en h6. Par conséquent, il ne peut se déplacer ni sur la case h3 ni sur la case h1, mais il ne peut pas non plus fuir sur la colonne "g" puisque les cases g1, g2, g3 sont barrées par le Roi adverse.

Quand les Rois se trouvent face à face, comme dans ce diagramme, on dit qu'ils sont en "opposition".

Dans le diagramme 96, les deux Rois ne sont pas en opposition. Le Roi noir peut éviter l'échec de la Tour ennemie en fuyant dans la case g4, il n'est donc pas en position d'échec et mat.

Nous invitons le débutant à fixer son attention sur cet exemple, car il est extrêmement important.

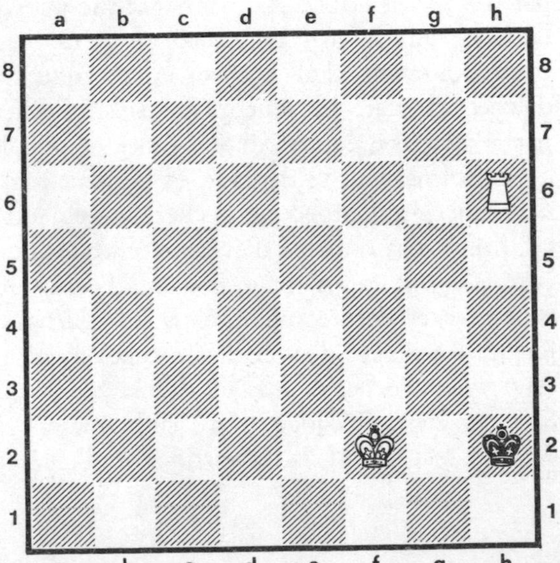

Diagramme 95. Echec et mat
Le Roi noir est mis en échec par la Tour et ne peut échapper à l'échec, étant donné que les cases de la colonne "g" lui sont barrées par le Roi adverse. Le Roi noir se trouve donc en position d'échec et mat

Diagramme 96
La différence entre cette position et celle du diagramme précédent apparaît minime. Mais ici, le Roi noir ne se trouve pas en position d'échec et mat puisqu'il peut s'échapper dans la case g4. Par conséquent, la position réciproque des deux Rois est fondamentale

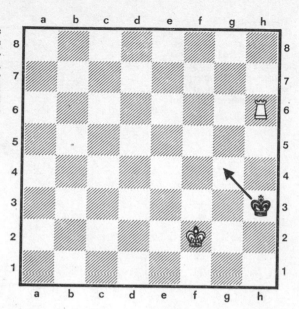

MAT DE DAME

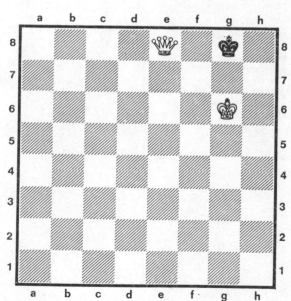

Diagramme 97
Le Roi noir se trouve en position d'échec et mat. Dans ce diagramme aussi l'opposition entre les deux Rois est fondamentale, c'est la raison pour laquelle le Roi noir ne peut fuir ni en g7 ni en h7

95

Diagramme 98
La Dame blanche fait échec et mat. Effectivement, le Roi noir est dans l'impossibilité de capturer la Dame puisque celle-ci est défendue par son propre Roi

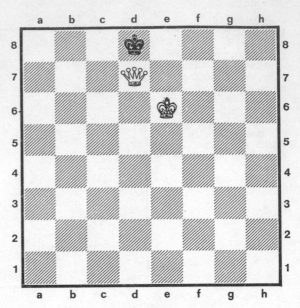

Diagramme 99
Le Roi noir, étant donné sa position, ne peut capturer la Dame qui est défendue par son propre Fou en h6. Il y a par conséquent échec et mat

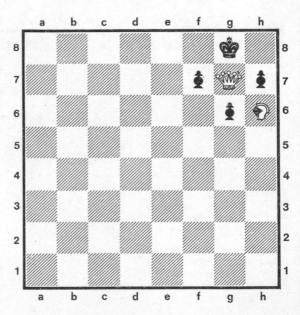

MAT DE TOUR

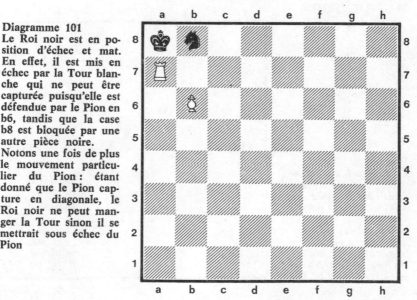

Diagramme 100
Le Roi noir est en position d'échec et mat. En effet, il est mis en échec par la Tour située sur la dernière rangée et sa fuite est coupée par le Roi blanc se trouvant en opposition verticale

Diagramme 101
Le Roi noir est en position d'échec et mat. En effet, il est mis en échec par la Tour blanche qui ne peut être capturée puisqu'elle est défendue par le Pion en b6, tandis que la case b8 est bloquée par une autre pièce noire.
Notons une fois de plus le mouvement particulier du Pion : étant donné que le Pion capture en diagonale, le Roi noir ne peut manger la Tour sinon il se mettrait sous échec du Pion

Diagramme 102
Le Roi noir est en position d'échec et mat. Effectivement, il est mis en échec par la Tour située sur la dernière rangée, alors que la case a7 lui est barrée par le Pion noir et la case b7 par l'attaque exercée de la part du Pion blanc en a6 (puisque, rappelons-le une fois de plus, le Pion capture en diagonale)

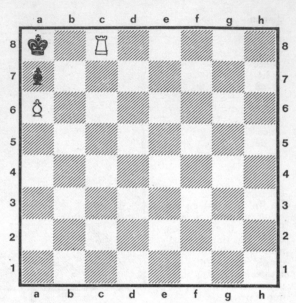

MAT DE FOU

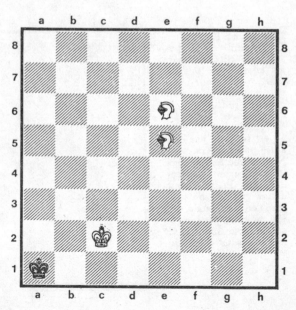

Diagramme 103
Le Roi noir est en position d'échec et mat, étant donné qu'il est mis en échec par le Fou blanc en e5 et que la case a2 lui est interdite par l'autre Fou blanc placé en e6, tandis que la case b1 lui est barrée par le Roi blanc

98

Diagramme 104
Le Roi noir est en position d'échec et mat car il ne peut éviter l'échec du Fou blanc en h4. En effet, les cases c8 et e8 sont contrôlées par l'autre Fou blanc placé en d7, alors que la case c7 est dominée par le Roi blanc qui défend également le Fou en d7

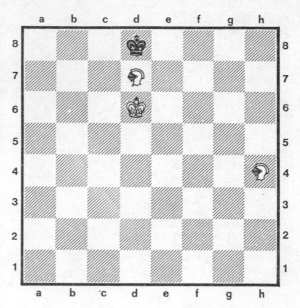

Diagramme 105
Le Roi noir est en position d'échec et mat puisqu'il est mis en échec par le Fou blanc en e5 et qu'il lui est impossible de fuir : la case h7 est en fait déjà occupée par une autre pièce noire, tandis que la case g8 est contrôlée par le Roi blanc

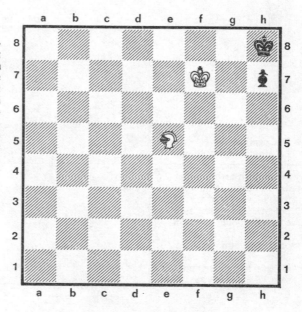

MAT DE CAVALIER

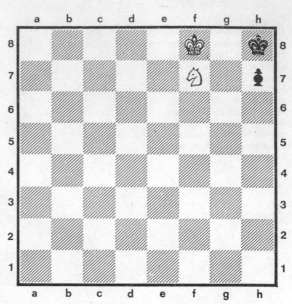

Diagramme 106
Le Roi noir est en position d'échec et mat puisqu'il ne peut éviter l'échec du Cavalier en f7. La case h7 est effectivement déjà occupée par une autre pièce noire, tandis que les cases g8 et g7 sont contrôlées par le Roi blanc

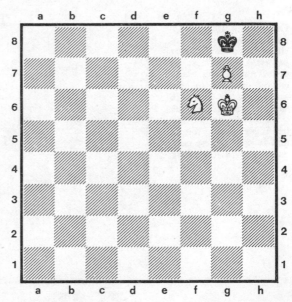

Diagramme 107
Le Roi noir est en position d'échec et mat puisqu'il est sous échec du Cavalier. Il ne peut fuir ni en f8 ni en h8 puisque ces cases sont contrôlées par le Pion blanc en g7 et il ne peut pas non plus s'échapper dans les cases f7, g7, h7, puisqu'elles sont dominées par le Roi blanc

Diagramme 108
Le Roi noir est en position d'échec et mat puisqu'il est sous échec du Cavalier en e6, échec qu'il ne peut éviter. En effet il ne peut s'échapper dans les cases c8 ou d7 puisqu'elles sont contrôlées par le Cavalier en b6, il ne peut pas non plus se porter en c7 car il resterait sous échec du Cavalier en e6 ; il lui est également impossible de fuir en e8 ou e7 puisque ces cases sont attaquées par le Roi blanc. Soulignons que normalement une finale de deux Cavaliers et Roi contre Roi, correctement jouée, ne voit pas de mat

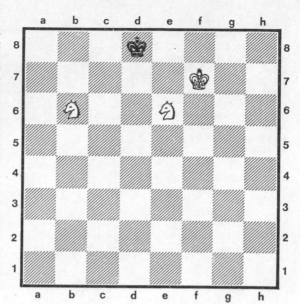

MAT DE PION

Diagramme 109
Le Roi noir est en position d'échec et mat. En effet, il est mis en échec par le Pion g7 et ne peut se déplacer car les cases e8 et g8 sont contrôlées par le Pion en f7, tandis que la case e7 est contrôlée par le Roi blanc qui défend aussi les deux Pions situés sur l'avant-dernière rangée.
Ce diagramme mérite d'être étudié attentivement car il met parfaitement en évidence le mécanisme de mouvement et d'attaque du Pion. En fait, le Roi noir n'est pas mis en échec par le Pion f7 mais par le Pion g7!

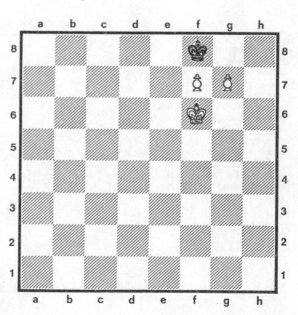

101

Diagramme 110
Le Roi noir est en position d'échec et mat puisqu'il est sous échec du Pion b7. Il lui est impossible de fuir étant donné que la case a7 est déjà occupée par une autre pièce noire, tandis que la case b8 est contrôlée par le Roi blanc

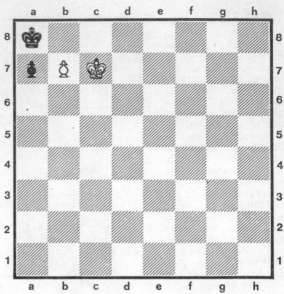

Diagramme 111
Le Roi noir est en position d'échec et mat car il est mis en échec par le Pion b5. Il ne peut s'échapper du fait que les cases a5 et a7 sont déjà occupées par d'autres pièces noires, alors que les cases b6 et b7 sont contrôlées par le Roi blanc qui défend aussi le Pion b5

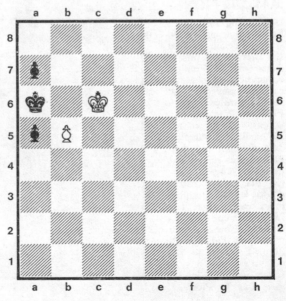

EXERCICES

(c'est aux Blancs de jouer)

La solution
se trouve
à la page 161.

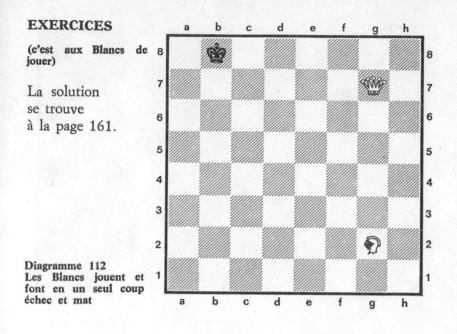

Diagramme 112
Les Blancs jouent et
font en un seul coup
échec et mat

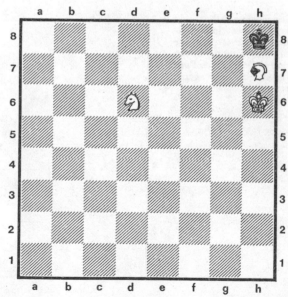

Diagramme 113
Les Blancs jouent et
font échec et mat en
un seul coup

Diagramme 114
Les Blancs jouent et font échec et mat en un seul coup. Il y a trois façons de faire échec et mat

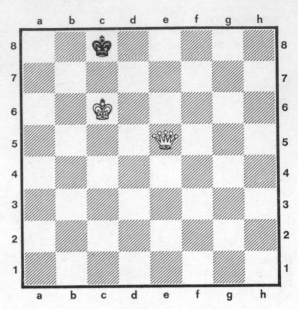

Diagramme 115
Les Blancs jouent et font échec et mat en un seul coup. Attention ! Il n'y a qu'une façon de faire échec et mat !

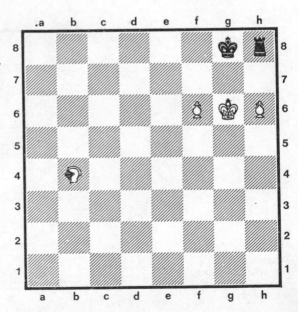

Diagramme 116
Les Blancs jouent et font échec et mat en un seul coup

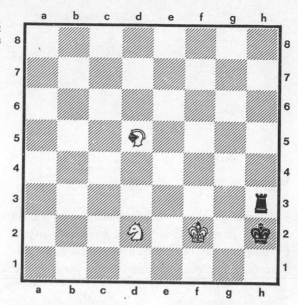

Diagramme 117
Les Blancs jouent et font échec et mat en un seul coup. Il y a deux manières de faire échec et mat

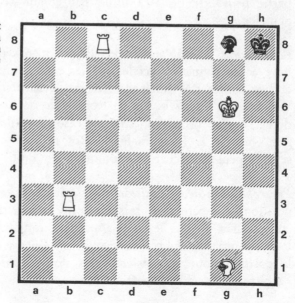

LA PARTIE NULLE

La partie nulle

La partie d'échecs ne se termine pas toujours par la victoire de l'un des joueurs. Il arrive parfois aussi que le résultat soit à égalité, dans ce cas on dit que la partie est nulle.
Voyons en quelles circonstances peut se vérifier la partie nulle.

D'un commun accord. Si les deux adversaires sont à force égale dans la finale, par exemple Roi et Dame contre Roi et Dame, la partie peut être déclarée nulle par comun accord pris entre les deux joueurs.

Par théorie. Lorsqu'aucun des deux joueurs n'est en mesure de faire échec et mat. Voici les cas les plus courants : finale de Roi et Fou contre Roi, finale de Roi et Cavalier contre Roi, finale de Roi et deux Cavaliers contre Roi, finale de Roi plus Fou et Pion de la Tour en promotion sur une case de couleur opposée à celles que contrôle le Fou, finale de Roi et Pion contre Roi lorsque celui-ci peut empêcher la promotion du Pion.

Par répétition de la position trois fois de suite. Lorsque la même position se répète trois fois de suite, même si elles ne sont pas consécutives, et que le coup appartient toujours au même joueur, la partie est nulle. Le joueur qui, en déplaçant une pièce, répète la position pour la troisième fois doit, *avant* de jouer, appeler l'arbitre et demander la partie nulle.

Par la règle des 50 coups. Un joueur a le droit de demander l'échec et mat en 50 coups à n'importe quel moment de la partie. Si l'adversaire n'arrive pas à faire le mat, la partie est considérée comme nulle. ATTENTION ! Le compte des coups recommence à zéro chaque fois qu'un Pion a changé de place ou qu'une pièce a été prise. Rappelons que le joueur peut exclusivement demander le mat en 50 coups et pas un de moins. La conviction assez diffuse selon laquelle le joueur qui se trouve seulement avec un Roi peut demander le mat en 11 ou 16 coups est complètement erronée.

Par échec perpétuel. Il s'agit d'un cas particulier de la répétition de position. Lorsqu'un joueur ne peut échapper à l'échec continuel (sans pour autant être mat) que son adversaire lui donne et à condition que cet adversaire soit intentionné à continuer à donner échec, la partie est justement déclarée nulle par échec perpétuel.

Par pat. Lorsqu'un joueur n'a pas son Roi sous échec mais se trouve dans l'impossibilité de jouer d'une manière licite car n'importe quel coup mettrait son Roi sous échec, la partie est déclarée nulle par pat.

Voyons quelques exemples qui illustreront mieux ce qui vient d'être exposé.

Le diagramme 118 montre comment les Blancs — bien qu'ils aient trois pièces de moins et soient par conséquent en nette position d'infériorité — peuvent se sauver en déclarant la partie nulle par échec perpétuel.

Effectivement, après le dernier coup des Blancs 1.Dg6 échec, les Noirs peuvent seulement jouer 1... Rh8 ; après quoi les Blancs continuent à faire échec dans les cases h6 et g6. Par exemple : 2.Dh6+, Rg8 ; 3.Dg6+, Rh8 ; 4.Dh6+, Rg8 ; 5.Dg6+, et ainsi de suite. Les Blancs montrent qu'ils veulent toujours faire échec et les Noirs ne sont pas en mesure de l'éviter : la partie est par conséquent nulle.

L'échec perpétuel, comme nous l'avons déjà dit, est un cas particulier de la répétition de position. En effet, dans cet exemple lorsque les Blancs jouent 5.Dg6+, ils provoquent pour la troisième fois la répétition de la position initiale exposée par le diagramme. Les Blancs pourraient donc aussi demander la nullité par répétition de position avant de jouer 5.Dg6+, en appelant l'arbitre pour lui communiquer qu'avec le coup 5.Dg6+ la position se répétera pour la troisième fois. L'arbitre, après vérification de l'affirmation émise par les Blancs, déclarera la partie nulle.

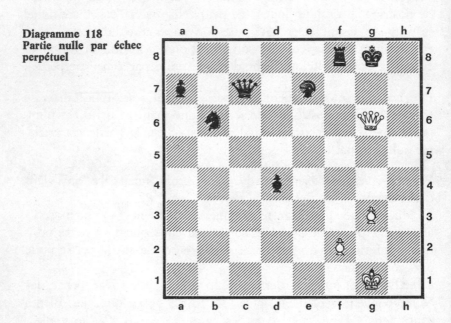

Diagramme 118
Partie nulle par échec perpétuel

Les diagrammes suivants montrent en revanche trois exemples simples de partie nulle par pat.

108

Diagramme 119. Pat
C'est aux Noirs de jouer, la partie est nulle par pat. En effet, le Roi noir ne peut bouger, car s'il allait en g1, g2 ou h2, il serait sous échec de la Dame

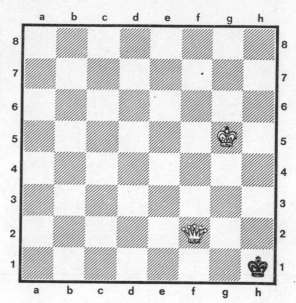

Diagramme 120. Pat
C'est aux Noirs de jouer, la partie est nulle par pat. Le Roi noir en effet ne peut se déplacer puisque la case b1 est contrôlée par le Cavalier, tandis que les cases a2 et b2 sont contrôlées par le Roi blanc

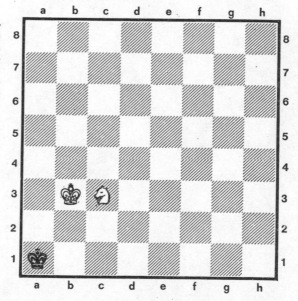

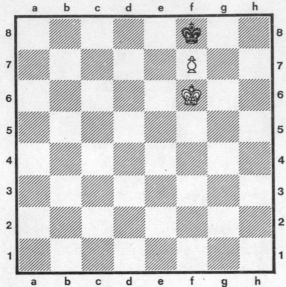

Diagramme 121
C'est aux Noirs de jouer, la partie est nulle par pat. Le Roi noir, comme vous voyez, ne peut pas bouger : les cases e8 et g8 lui sont interdites par le Pion blanc, tandis que l'avant-dernière rangée est contrôlée par le Roi blanc qui défend également le Pion

FINALES ELEMENTAIRES

Pour faire échec et mat il faut posséder, outre le Roi bien évidemment, au moins la Dame, une Tour, deux Fous ou un Fou et un Cavalier. Etudions par conséquent les principales formes de finales élémentaires telles que :

a) finale de Roi et deux Fous contre Roi seulement ;
b) finale de Roi et Dame contre Roi seulement ;
c) finale de Roi et Tour contre Roi seulement ;
d) finale de Roi, Cavalier et Fou contre Roi seulement.

Il faut dire que les variantes étant très nombreuses, il est impossible de les examiner toutes. Le débutant pourra tout d'abord analyser celles que nous avons reportées et s'exercer ensuite à trouver tout seul d'autres solutions pour donner mat.

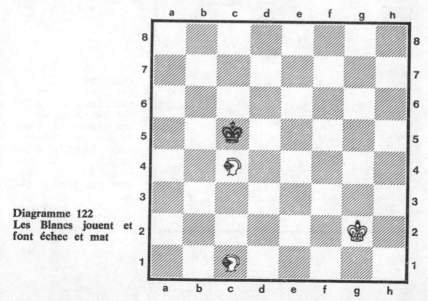

Diagramme 122
Les Blancs jouent et font échec et mat

Roi et 2 Fous contre Roi

Première variante

1.Ff1, Rd5 (le Roi doit faire tout son possible pour rester au centre, puisqu'il sera inévitablement mat dans un angle de l'échiquier) ; 2.Rf3, Rd4 ; 3.Fb2+, Rd5 ; 4.Fd3, Rc5 ; 5.Re4, Rb4 (si 5...Rd6 ; 6.Fd4, suivi de 7.Fc4, etc.) ; 6.Rd4, Rb3 ; 7.Fc3, Ra3 ; 8.Fc2, Ra2 ; 9.Rc4, Ra3 ; 10.Fe5, Ra2 ; 11. Rc3, Ra3 ; 12.Fd6+, Ra2 ; 13.Ff5, Ra8 ; 14.Rc2, Ra2 ; 15.Fe6, Ra1 ; 16.Fe5, mat.

Deuxième variante

1.Ff7, Rd4 ; 2.Rf3, Re5 ; 3.Fb2+, Rd6 ; 4.Re4, Rc5 ; 5.Fe5, Rc6 ; 6.Fe6, Rc5 ; 7.Rd3, Rc6 ; 8.Rc4, Rb6 ; 9.Fd7, Ra5 ; 10.Fc7+, Ra6 ; 11.Fc8+, Ra7 ; 12.Rb5, Ra8 ; 13. Fa6, Ra7 ; 14.Fd8, Rb8 ; 15.Rb6, Ra8 ; 16.Fb7+, Rb8 ; 17.Fc7, mat.

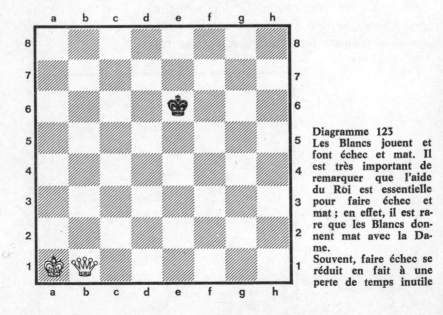

Diagramme 123
Les Blancs jouent et font échec et mat. Il est très important de remarquer que l'aide du Roi est essentielle pour faire échec et mat ; en effet, il est rare que les Blancs donnent mat avec la Dame.
Souvent, faire échec se réduit en fait à une perte de temps inutile

Roi et Dame contre Roi

En neuf coups les Blancs mettent en position d'échec et mat le Roi adverse. Voyons comment :

1.Rb2, Rd5 ; 2.Rc3, Re5   (si 2...Re6 ; 3.Rd4, Rf6 ; 4.De4, Rf7 ; 5.Re5, Rg7 ; 6.Rf5, Rf7 ; 7.Db7+, Re8 ; 8.Re6, Rf8 ; 9.Df7, mat).

3.Dg6, Rf4 ;   (si 3...Rd5 ; 4.De8, Rd6 ; 5.Rc4, Rc7 ; 6.Rc5, Rb7 ; 7.Dd7+, Ra6 ; 8.De7, Ra5 ; 9.Da7, mat).

4.Rd4 Rf3 ; 5.Dg5, Rf2 ;   (si 5...Re2 ; 6.Dg2+, etc.).

6.Dg4, Re1 ;   (si 6...Rf1 ; 7.Re3, Re1 ; 8.De2 ou bien 8.Dg1, mat).

7.Re3, Rf1 ; 8.Dg7, 8...Re1 ;   (et non pas 8.Dg3?? et partie nulle par pat !).

9.Dg1 ou bien 9.Da1 mat.

Roi et Tour contre Roi

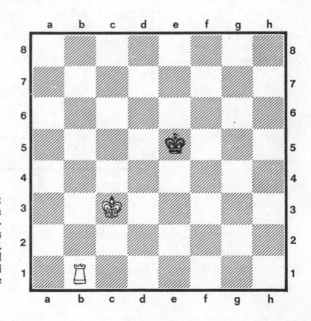

Diagramme 124
Ici aussi le mat n'est pas difficile, à condition de bien savoir coordonner les mouvements de la Tour et du Roi. Pour réussir ce mat, il faut refouler le Roi noir sur les bords de l'échiquier

1.Te1 + (en contrôlant les cases centrales), 1...Rd5 ; 2.Te2 (cela oblige le Roi noir à s'éloigner d'une case centrale), 2...Rc6 ; 3.Td2, Rc5 ; 4.Td1, Rc6 ; 5.Rc4, Rb6 ; 6.Td6 +... (on peut très vite sans perdre de temps mettre le Roi noir en position d'échec, étant donné que le Roi blanc est tout près et peut se porter rapidement au secours de la Tour si elle est attaquée) 6.Rc7 ; 7.Rc5, Rb7 ; 8.Td7 +, Rc8 (si 8...Ra6 ; alors 9.Ta7, Ra5 ; et alors 10.Ta7, mat) ; 9.Rc6, Rb8 ; 10.Td8 +, Ra7 ; 11.Th8, Ra6 ; 12.Ta8, mat.

Roi, Fou et Cavalier contre Roi

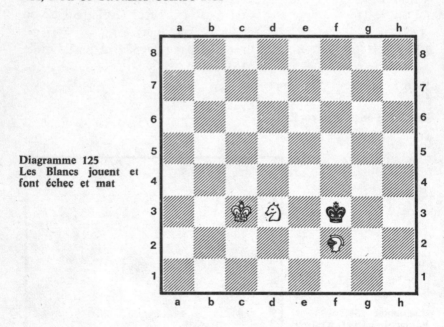

Diagramme 125
Les Blancs jouent et
font échec et mat

La finale élémentaire qui présente le plus de difficultés est sans aucun doute celle de Roi, Cavalier et Fou contre Roi. Elle requiert le maximum de coordination et d'harmonie chez les pièces blanches.

Pour réussir le mat, il faut amener le Roi noir vers l'angle de l'échiquier de la même couleur que le Fou. La manœuvre est plutôt longue et requiert beaucoup d'attention et de patience.

Voyons comment on peut poursuivre la partie en prenant comme point de départ la position qu'illustre le diagramme 125.

1.Rd4, Re2 ; 2.Fe3, Rf3 ; 3.Ce5+, Rg2 ; 4.Re4, Rg3 ; 5.Cd3, Rg2 ; 6.Rf4, Ra6 ; 7.Rf3, Ra7.

Le Roi noir essaie de résister en se réfugiant dans l'angle de la couleur opposée à celle du Fou où il est impossible de forcer le mat.

8.Cf2, Rg1 ; 9.Ff4...

Les Blancs ont accompli la première partie de leur tâche : refouler le Roi noir dans un angle de l'échiquier. Maintenant, il sera obligé d'aller dans l'autre angle.

9...Rf1 ; 10.Fh2, Re1 ; 11.Ce4, Rf1 ; 12.Cd2, Re1 ; 13.Re3, Rd1 ; 14.Rd3, Rc1 (si 14...Re1 ; 15.Fg3+, Rd1 ; 16.Ff2, Rc1 ; 17.Cc4, Rd1 ; 18.Cb2+, Rc1 ; 19.Rc3, Rb1 ; 20.Rb3, Rc1 ; 21.Fe3+, Rb1 ; 22.Fd2, Ra1 ; 23.Cca, Rb1 ; 24.Ca3 +, Ra1 ; 25.Fc3, mat). 15.Fd6, Rb2 ; 16.Fb4, Rc1 ; 17.Cf3, Rb2 ; 18.Cd4, Rc1 ; 19.Re2, Rb1 ; 20.Fa3, Ra2 ; 21.Fc1, Ra1 ; 22.Rd2, Rb1 ; 23.Cc6, et maintenant : si 23...Ra2 ; 24.Rc2, Ra1 ; 25.Fb2+, Ra2 ; 26.Cb4, mat ; si 23...Ra1 ; 4.Rc2, Ra2 ; 25.Cb4+, Ra1 ; 26.Fb2, mat.

Méthode de Deletang

Nous avons vu comment s'est déroulée cette finale difficile qui requiert de nombreux coups. Mais essayons maintenant de simplifier la besogne. Pour cela nous nous servirons de la méthode publiée en 1923 par l'analyste Daniel Deletang.

La méthode Deletang a pour principe d'enfermer le Roi perdant dans des triangles successifs — majeur, moyen et mineur — que le Fou et le Cavalier accompagnés de leur Roi forment dans l'angle où ils donneront échec et mat.

Diagramme 126
Le triangle de Deletang: il s'agit d'une méthode mécanique pour apprendre à faire échec et mat au Roi adverse avec le Roi, le Cavalier et le Fou

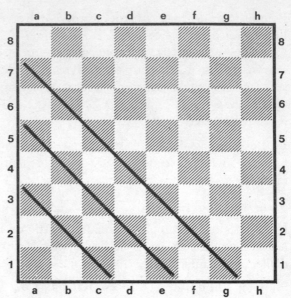

Diagramme 127
Les Blancs jouent et font échec et mat

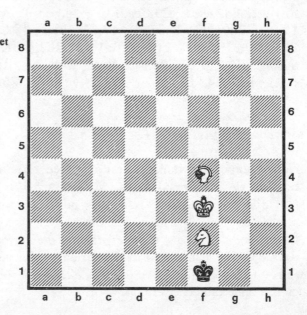

Voyons une façon de poursuivre la partie en partant de la position illustrée par le diagramme 127 et en utilisant la méthode de Deletang.

La méthode de Deletang conseille :

1.Fh2, Re1 ; 2.Ce4, Rd1 (préférable à 2...Rf1 ; etc.) 3.Fg1... (occupe la diagonale formant le triangle majeur) ;

3...Rc2 ; 4.Re2, Rb3 ; 5Cd6, Rb4 ; 7.Fb6... (et forme le cercle avec les pièces à une extrémité et le Roi à l'autre); 7...Rc3 ; 8.Rd1... (en gênant la proie sans la lâcher) ; 8...Rb3 ; 9.Fa5... (les Blancs s'apprêtent à former le triangle moyen) ; 9...Ra4 ; 10.Fd2, Rb3 ; 11.Rc1, Ra4 ; 12.Rc2, Ra3 (maintenant le Cavalier donnera un échec pour se placer ensuite parallèlement au Fou, comme il l'était lors du coup numéro sept) ; 13.Cb5+, Ra4 ; 14.Cd4, Ra3 ; 15.Rc3... (de même que dans le triangle majeur, les Blancs doivent tenir le Roi à l'extrémité opposée au secteur contrôlé par les pièces) ; 15...Ra4 ; 16.Rc4, Ra3 ; 17.Rb5... (l'idée semble claire comme de l'eau de roche) ; 17...Rb2 ; 18.Ra4, Ra2 ; 19.Fc1... (le Roi est déjà refoulé à l'intérieur du triangle mineur) ; 19...Rb1 ; 20.Fa3, Ra2 ; 21.Rb4, Rb1 ; 22.Rb3, Ra1 (le Cavalier s'éloignera pour revenir sur ses pas et mettre en échec); 23.Cb5 (ou bien 23.Ce2), Rb1 ; 24.Cc3+, Ra1 ; 25.Fb2, mat.

ATTAQUE, DEFENSE, CLOUAGE

L'attaque et la défense

Au cours de la partie les pièces adverses s'opposent les unes aux autres, elles s'attaquent donc mutuellement mais il faut parfois se défendre lorsqu'une pièce est attaquée par l'adversaire.

La défense peut avoir lieu de différentes façons : on peut éloigner la pièce attaquée et la soustraire ainsi à la menace ; on peut défendre la pièce attaquée avec une autre pièce ; on peut capturer l'attaquant et enfin on peut interposer une pièce entre l'attaquant et la pièce attaquée. Voyons les diagrammes suivants.

Diagramme 128
A partir de la position des pièces indiquée par le diagramme, supposons que ce soit aux Noirs de jouer et qu'ils décident de déplacer la Dame en d7, dans le but d'attaquer la Tour et de faire échec au Roi blanc. Selon la notation d'échecs on écrira 1.Dd2-d7 +

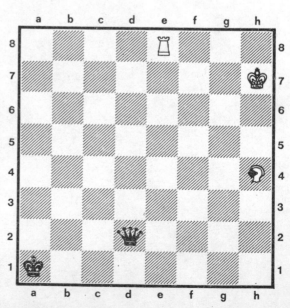

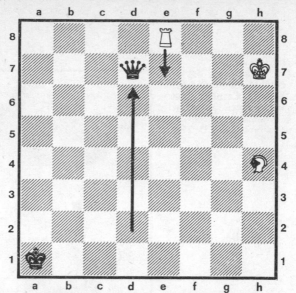

Diagramme 129
Il représente la position des pièces après que les Noirs ont déplacé la Dame en d7 en faisant échec. Les Blancs sont en mesure de parer l'échec et de sauver en même temps la Tour en jouant Te8-e7, le seul coup qui permette de ne subir aucune perte

Les exemples des diagrammes 128 et 129 illustrent donc deux des possibilités sus-indiquées : fuite de la pièce attaquée (Tour) et interposition d'une pièce (encore la Tour) entre l'attaquant (Dame noire) et la pièce attaquée (Roi blanc).

Examinons maintenant un exemple de défense de la pièce attaquée. Le diagramme 130 montre la Dame blanche attaquant le

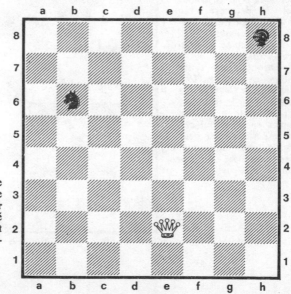

Diagramme 130
C'est aux Blancs de jouer. Le nombre de pièces sur l'échiquier est extrêmement limité pour que l'exemple soit plus aisé à comprendre

Diagramme 131
Les Blancs ont déplacé la Dame et ont attaqué le Cavalier noir sans protection. Selon la notation d'échecs, nous avons : 1.De2-b5

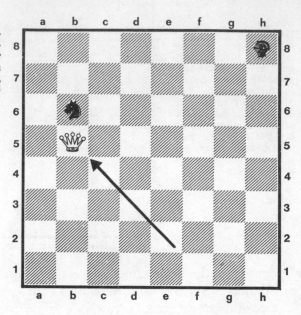

Diagramme 132
Les Noirs peuvent soit déplacer le Cavalier soit le défendre avec le Fou. La défense s'effectue en jouant 1. ... Fh8-d4, comme le montre le diagramme.
Remarquons que si les Noirs avaient préféré déplacer le Cavalier, ils auraient dû le faire soit en a8 soit en c8, les seules cases, parmi celles où le Cavalier peut sauter, qui ne soient pas menacées par la Dame blanche

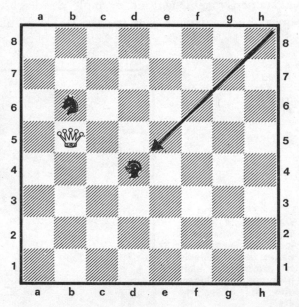

Cavalier noir, défendu lui-même par le Fou noir. A ce moment-là, il est bien évident que les Blancs ne capturent pas le Cavalier puisque sa valeur est inférieure à celle de la Dame (comme nous le savons, le rapport est de 1 à 3).

Considérons maintenant la position des pièces sur le diagramme 133. Les flèches montrent les attaques réciproques entre les pièces blanches et les pièces noires : la Tour noire en e7 attaque simultanément la Tour blanche en a7 et le Fou blanc en h7. Pour échapper à cette double attaque, les Blancs peuvent capturer la Tour noire avec leur propre Tour. Toutefois, ils ne profiteront pas de cette capture, puisque la Tour noire en e7 est défendue par le Fou noir en g5. Par conséquent, les Noirs captureront ensuite la Tour blanche : on aura assisté à un échange de pièces grâce auquel, néanmoins, les Blancs auront neutralisé la menace adverse. Le diagramme 134 représente la position finale des pièces après la série des échanges réciproques.

Diagramme 133
La Tour noire en e7 attaque simultanément la Tour blanche en a7 et le Fou blanc en h7. La Tour noire est défendue par le Fou noir en g5 et attaquée elle aussi par la Tour blanche en a7

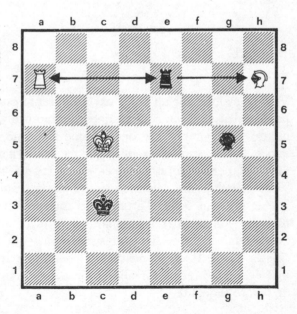

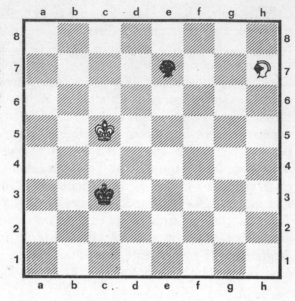

Diagramme 134
Position finale des pièces que l'on peut remarquer, en ayant pris comme point de départ la position exposée par le diagramme 133, après l'échange des Tours, c'est-à-dire après les coups 1.Ta7 : e7, Fg5 : e7

Voyons maintenant un autre exemple d'interposition de pièce pour parer à l'attaque et à la menace de capture. Le diagramme 135 montre la Tour blanche qui attaque la Dame noire. Nous savons que la Dame vaut bien plus que la Tour, par conséquent, il ne faut pas permettre aux Blancs de la capturer. Supposons que la Tour blanche soit défendue et qu'on ne veuille pas déplacer la Dame, on peut éviter l'attaque en interposant une autre pièce de moindre valeur entre l'attaquant et la pièce attaquée. Il s'agit en l'occurrence du Cavalier qui vaut moins que la Dame et moins que la Tour. Il est donc bien évident que les Blancs n'ont pas intérêt à capturer le Cavalier sous peine, comme nous le savons, de perdre la qualité.

Diagramme 135
Pour faciliter la compréhension de l'exemple, le nombre des pièces a été réduit. La Dame noire est attaquée par la Tour, elle doit donc être défendue

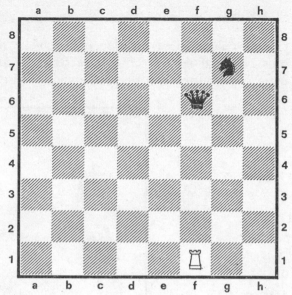

Diagramme 136
Les Noirs défendent leur Dame attaquée par la Tour adverse en interposant leur Cavalier entre les deux pièces

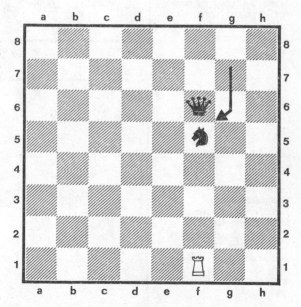

Le clouage

On dit qu'une pièce est clouée lorsqu'elle ne peut se déplacer sous peine de mettre son propre Roi en échec ou de causer la perte d'une autre pièce de plus grande valeur.

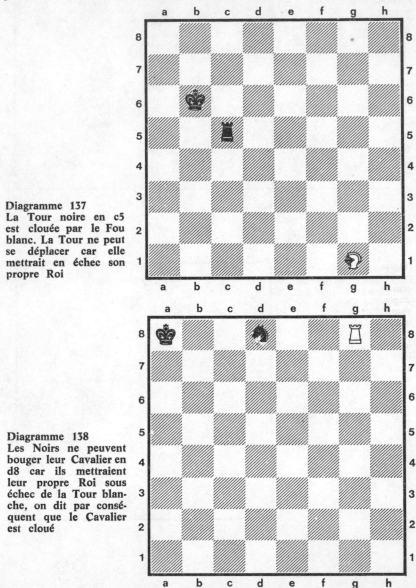

Diagramme 137
La Tour noire en c5 est clouée par le Fou blanc. La Tour ne peut se déplacer car elle mettrait en échec son propre Roi

Diagramme 138
Les Noirs ne peuvent bouger leur Cavalier en d8 car ils mettraient leur propre Roi sous échec de la Tour blanche, on dit par conséquent que le Cavalier est cloué

Diagramme 139
Dans ce cas-ci, c'est le Fou en e4 qui est cloué par la Dame blanche, le Fou ne peut effectivement pas se déplacer car il laisserait son propre Roi en échec

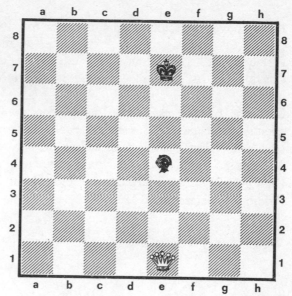

Diagramme 140
Les pièces ainsi placées permettent aux Noirs de bouger le Fou, mais ce faisant, ils perdent la Dame. Le Fou est donc cloué, puisqu'en se déplaçant il laisserait une pièce de plus grande valeur en pâture

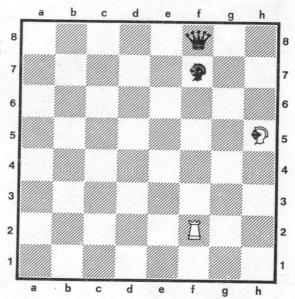

125

Il est souvent possible d'échapper à la menace provoquée par un clouage en interposant une autre pièce, de moindre valeur, entre l'attaquant et la pièce clouée.

Considérons par exemple la position des pièces sur le diagramme 141.

La Dame blanche est clouée par le Fou noir. La Dame ne peut effectivement pas se déplacer car elle laisserait son propre Roi sous échec. Les Blancs, pour éviter de perdre la Dame (valeur : 10) par un simple Fou (valeur 3), peuvent seulement interférer l'action du Fou en interposant le Pion d sur la diagonale, comme l'indique le diagramme 142.

Diagramme 141
La Dame blanche est clouée par le Fou noir ; néanmoins, les Blancs peuvent éviter de perdre du matériel précieux

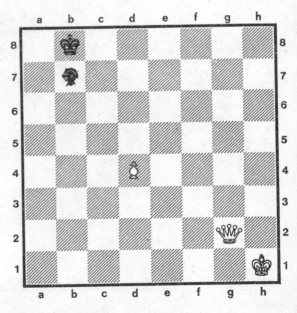

Diagramme 142
Le Pion blanc poussé de la case d4 à la case d5 interfère l'action du Fou noir et retire la Dame du clouage

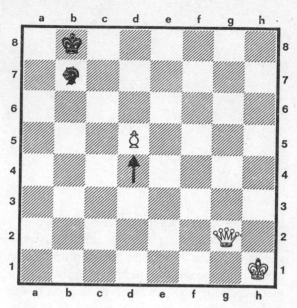

DECOUVERTE - DOUBLE ATTAQUE

Découverte

Parmi les exemples précédents, beaucoup ont montré comment une pièce peut interférer l'action d'autres pièces, propres ou adverses. L'action de la pièce interférée se trouve évidemment limitée. Mais le cas contraire peut également se produire, à savoir une pièce en bougeant peut libérer l'action d'une autre pièce. Lorsque ce fait survient entre deux pièces de la même armée, on parle de découverte : il y a par exemple l'attaque à la découverte lorsqu'on menace une pièce plus importante que celle de l'attaquant ou bien l'échec à la découverte lorsqu'en jouant on fait échec au Roi adverse, mais sans que ce soit la pièce bougée qui ait provoqué l'échec.

Voyons quelques exemples qui éclairciront les notions que nous venons d'exposer.

Avant de poursuivre, rappelons que généralement la découverte engendre un avantage de matériel.

Diagramme 143
En déplaçant le Pion f4 les Blancs font échec à la découverte avec le Fou en g3. La position qui en découle est représentée par le diagramme 144

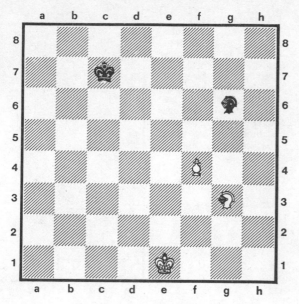

Diagramme 144
Grâce au déplacement du Pion f4, c'est-à-dire grâce au coup 1.f4-f5+, les Blancs font non seulement échec à la découverte mais attaquent aussi le Fou noir en g6. Maintenant, les Noirs doivent penser à retirer leur Roi de l'échec, ce qui permettra ensuite aux Blancs de capturer le Fou adverse

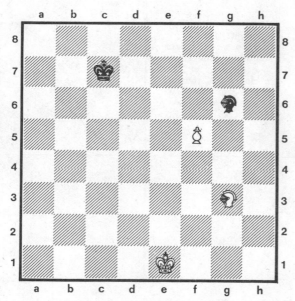

Diagramme 145
Les Blancs, en déplaçant le Fou en b5, font échec à la découverte au Roi noir avec la Tour en g5. Dans ce cas, la découverte permet aux Blancs de gagner au choix la Tour ou le Cavalier, comme le montrent les deux diagrammes suivants

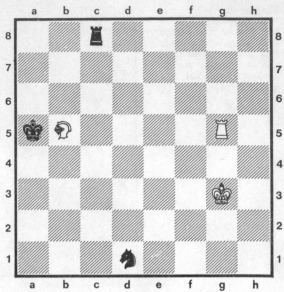

Diagramme 146
Les Blancs, en jouant 1.Fb5-d7+, font échec à la découverte et lorsque les Noirs auront déplacé leur Roi, ils captureront la Tour

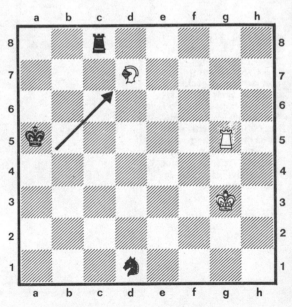

130

Diagramme 147
Les Blancs, en jouant
1.Fb5-e2+, font échec
à la découverte et lors-
que les Noirs auront
déplacé leur Roi, ils
captureront le Cavalier

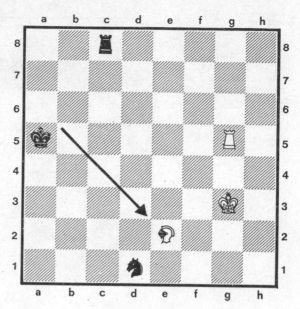

Diagramme 148
Encore un exemple d'é-
chec à la découverte.
Les Blancs, en dépla-
çant le Cavalier, font
échec à la découverte
avec la Dame

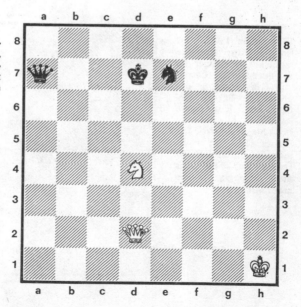

Diagramme 149
Si les Blancs jouent 1.Cd4-b5+, non seulement ils font échec à la découverte, mais ils capturent aussi au prochain coup la Dame ennemie avec leur Cavalier

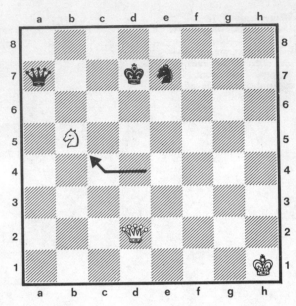

Diagramme 150
Encore un exemple montrant le danger de la découverte. Observons la position des pièces sur le diagramme : avec leur Dame les Noirs attaquent le Fou blanc en h1. Les Blancs sont non seulement en mesure de défendre leur Fou mais aussi de gagner la Dame noire

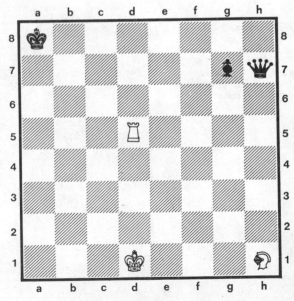

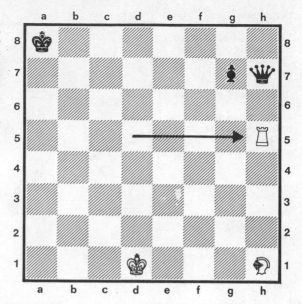

Diagramme 151
Les Blancs jouent 1. Td5-h5+. De cette manière, ils font échec à la découverte avec le Fou et interfèrent l'action de la Dame noire sur la colonne "h". Les Noirs doivent maintenant déplacer leur Roi, par conséquent ils perdront ensuite leur Dame

Double attaque

Lorsqu'une pièce attaque en même temps deux pièces adverses, on parle de "double attaque" ou simultanée.

La double attaque est une tactique particulièrement importante si elle conduit à un avantage de matériel.

On appelle "fourchette" la double attaque effectuée par un Pion, c'est-à-dire lorsqu'un Pion attaque simultanément deux pièces (puisque le Pion capture en diagonale).

Le diagramme 152 illustre un exemple de fourchette.

133

Diagramme 152. La fourchette

Le Pion d4 attaque simultanément la Tour et le Cavalier noirs. La capture est inévitable pour l'un des deux, aussi les Blancs gagneront du matériel. Les Noirs auront évidemment intérêt à sauver la Tour et par conséquent à perdre le Cavalier

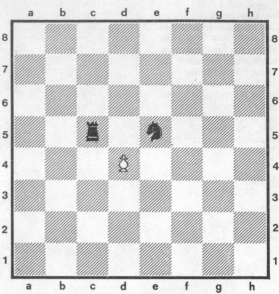

Les diagrammes suivants illustrent des exemples de double attaque avec le Cavalier, le Fou, la Tour et la Dame.

DOUBLE ATTAQUE DU CAVALIER

Diagramme 153

Le Cavalier blanc attaque tant la Dame noire que la Tour noire. Les Noirs déplaceront par conséquent la Dame de manière à la mettre hors de péril et à défendre la Tour (par exemple : Dc3-g7). Les Blancs captureront alors la Tour en échange du Cavalier et ils y gagneront, bien entendu, en qualité

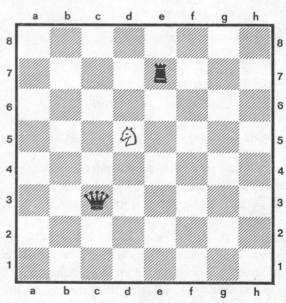

134

Diagramme 154
Le Cavalier blanc attaque le Roi et la Tour adverses. Les Noirs déplaceront le Roi de manière à défendre la Tour et à limiter les dégâts en ce qui concerne la perte de qualité

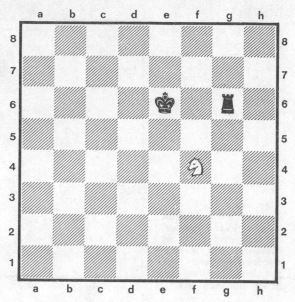

Diagramme 155
Un autre exemple de double attaque de Cavalier avec échec. Cette fois les Noirs ne sont pas en mesure de défendre leur Fou, par conséquent les Blancs gagneront nettement une pièce

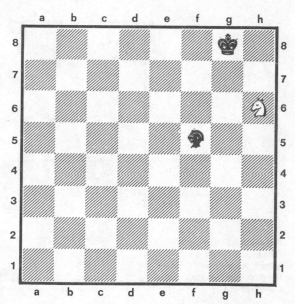

DOUBLE ATTAQUE DU FOU

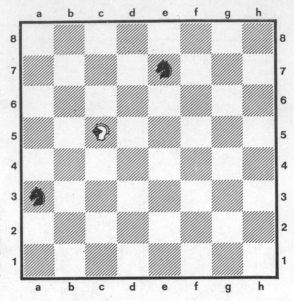

Diagramme 156
Le Fou blanc attaque les deux Cavaliers noirs qui ne peuvent pas se défendre. Les Blancs captureront donc l'un des deux Cavaliers gagnant ainsi une pièce

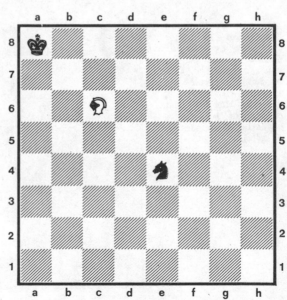

Diagramme 157
Double attaque avec échec permettant aux Blancs de gagner le Cavalier

Diagramme 158
Double attaque au Roi et à la Dame avec échec. Ce genre particulier d'attaque, permettant de gagner la pièce une fois que le Roi s'est déplacé, s'appelle "enfilade"

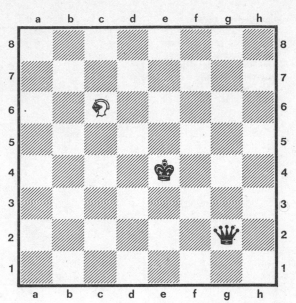

DOUBLE ATTAQUE DE LA TOUR

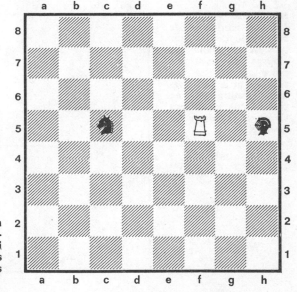

Diagramme 159
La Tour menace en même temps le Cavalier et le Fou, ce qui permettra aux Blancs de gagner l'une des deux pièces adverses

Diagramme 160
Attaque simultanée de Tour avec échec. Les Noirs doivent déplacer leur Roi et les Blancs pourront ensuite capturer le Fou gagnant ainsi la pièce

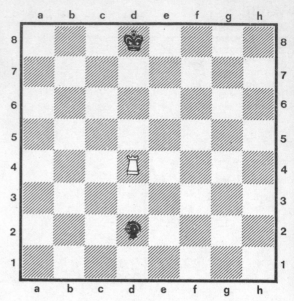

Diagramme 161
Un cas particulier de simultanée de la Tour qui est en réalité un clouage de la Dame noire sur le Roi. En échangeant la Tour (valeur 5) contre la Dame (valeur 10) les Blancs seront en avantage de matériel

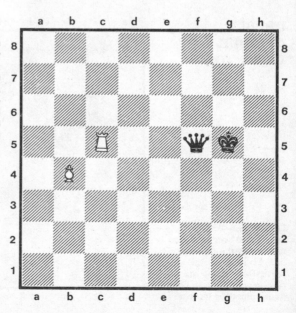

138

DOUBLE ATTAQUE DE LA DAME

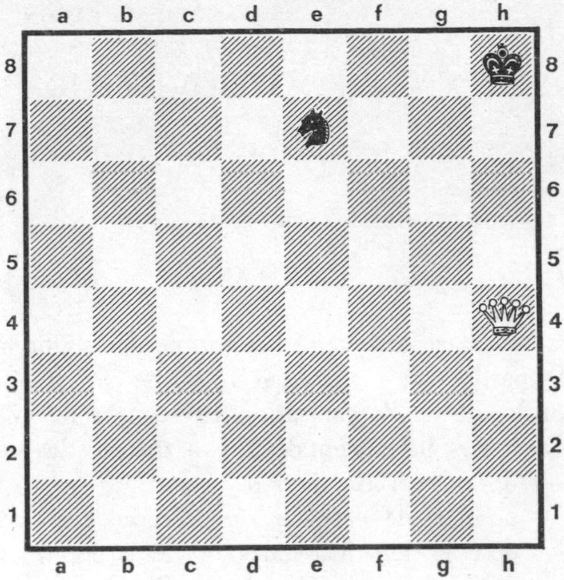

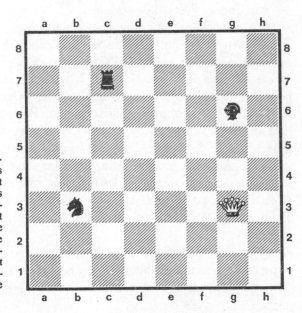

Diagramme 162
Attaque simultanée de la Dame avec échec. Les Noirs déplacent maintenant leur Roi et la Dame blanche capture le Cavalier gagnant ainsi la pièce

Diagramme 163
La puissance de la Dame est telle que ses doubles attaques sont parfois même triples comme dans cet exemple. Les Noirs peuvent déplacer la Tour de manière à défendre soit le Fou soit le Cavalier mais, ne pouvant défendre toutes les pièces, ils en perdront de toute façon une

L'OUVERTURE

L'ouverture comprend l'ensemble des coups marquant le début de la partie, par conséquent la phase où chaque joueur affronte le problème de l'organisation stratégique de la partie même.

Les bases fondamentales de la théorie des ouvertures sont :
— développer les pièces ;
— occuper de l'espace, de préférence au centre de l'échiquier ;
— occuper les diagonales ou les colonnes ouvertes (c'est-à-dire sur lesquelles il n'y a plus de Pions) ;
— attribuer à chaque pièce un rôle précis ;
— coordonner l'action des pièces ;
— poser les jalons pour d'éventuelles attaques.

Faites bien attention, développer une pièce ne signifie pas qu'on la déplace mécaniquement d'une case initiale à une autre, mais qu'on la place dans une position à partir de laquelle elle développera une action coordonnée avec les autres pièces et les Pions, dans le domaine de la stratégie de la partie. Pour savoir comment on doit se comporter au cours de la phase d'ouverture, il est peut-être plus simple d'étudier ce qu'il *ne faut pas* faire.

a) on ne doit pas déplacer une pièce sans avoir un but précis ;

b) on ne doit pas déplacer deux fois la même pièce ;

c) on ne doit pas bouger les Pions sans raison ;

d) on ne doit pas placer la Dame sur une case facilement attaquable ;

e) on ne doit pas déplacer la Dame avant d'avoir développé les pièces mineures (Cavaliers, Fous et Tours) ;

f) on ne doit pas roquer avant l'adversaire qui attaque.

Naturellement, ces règles sont données à titre indicatif ; elles doivent être connues mais non prises à la lettre, comme c'est le cas du reste pour n'importe quel principe à caractère général.

Subdivision des ouvertures

Théoriquement, les ouvertures se divisent en trois principaux groupes.

1. Ouvertures de jeu ouvert, caractérisées par le fait que les deux joueurs commencent en déplaçant de deux cases le Pion devant le Roi, par conséquent : 1.e4, e5.

2. Ouvertures de jeu semi-ouvert, caractérisées par le fait que les Blancs déplacent de deux cases le Pion du Roi mais que les Noirs ne jouent pas symétriquement, par conséquent: 1.e4... (non e5).

3. Ouvertures de jeu fermé, caractérisées par le fait que les Blancs ouvrent d'une manière différente de e2-e4.

Nous donnons par la suite la nomenclature des principales ouvertures et les coups initiaux qui les caractérisent.

Ouvertures de jeu ouvert

Ouverture du Fou du Roi	1.e4, e5 ; 2.Fc4
Défense Philidor	1.e4, e5 ; 2.Cf3, d6
Gambit du Roi	1.e4, e5 ; 2.f4
Défense russe	1.e4, e5 ; 2.Cf3, Cf6
Ouverture écossaise	1.e4, e5 ; 2.Cf3, Cc6 ; 3.d4
Ouverture italienne	1.e4, e5 ; 2.Cf3, Cc6 ; 3.Fc4, Fc5
Défense des deux Cavaliers	1.e4, e5 ; 2.Cf3, Cc6 ; 3.Fc4, Cf6
Ouverture espagnole	1.e4, e5 ; 2.Cf3, Cc6 ; 3.Fb5

Ouvertures de jeu semi-ouvert

Défense Alekhine	1.e4, Cf6
Défense Pirc	1.e4, d6
Défense Caro-Kann	1.e4, c6
Défense française	1.e4, e6
Défense sicilienne	1.e4, c5

Ouvertures de jeu fermé

Gambit de la Dame accepté	1.d4, d5 ; 2.c4, dc4
Défense orthodoxe	1.d4, d5 ; 2.c4, e6 ; 3.Cc3, Cf6 ; 4.Fg5
Défense Tarrasch	1.d4, d5 ; 2.c4, e6 ; 3.Cc3, c5
Défense slave	1.d4, d5 ; 2.c4, c6
Contre-gambit Albin	1.d4, d5 ; 2.c4, e5
Gambit de Budapest	1.d4, Cf6 ; 2.c4, e5
Ouverture catalane	1.d4, d5 ; 2.c4, e6 ; 3.Cc3, Cf6 ; 4.g3
Indienne Grunfeld	1.d4, d5 ; 2.c4, g6 ; 3.Cc3, d5
Indienne du Roi	1.d4, Cf6 ; 2.c4, g6 ; 3.Cc3, Fg7
Indienne de la Dame	1.d4, Cf6 ; 2.Cf3, b6
Défense hollandaise	1.d4, f5
Ouverture Bird	1.f4
Ouverture anglaise	1.c4

LE MILIEU DE PARTIE - LA FINALE

Le milieu de partie

C'est la phase centrale de la partie, celle qui précède la finale.

Le milieu de partie (milieu du jeu dérivé du mot allemand "Mittelspiel" désormais couramment employé dans le langage international) est caractérisé par la présence de nombreuses pièces sur l'échiquier qui offrent par conséquent de nombreuses possibilités d'attaque. Dans cette phase, le Roi exerce le rôle le plus passif et requiert bien souvent une attention toute particulière pour sa propre défense.

Le milieu de partie est la conséquence logique de l'ouverture, le moment où la phase stratégique initialement organisée doit être réalisée.

La stratégie du milieu de partie peut être agencée selon deux grandes directives : l'une donne lieu au jeu positionnel, l'autre au jeu d'attaque.

Dans le jeu d'attaque, on essaie d'attaquer directement le Roi ou un point faible de l'armée adverse.

Dans le jeu positionnel, on évite les attaques de front et on essaie de resserrer lentement l'adversaire comme dans un étau en lui ôtant l'espace, c'est-à-dire le contrôle des cases de l'échiquier.

On pourrait comparer la partie d'échecs à une rencontre de boxe. Le jeu d'attaque équivaut au boxeur qui se jette à l'attaque en recherchant le knock-out mais en négligeant ses arrières avec tous les risques que cela comporte.

Le jeu positionnel équivaut en revanche au boxeur qui, tout en ménageant ses arrières, essaie d'acculer l'adversaire pour gagner aux points.

Le choix du type de stratégie est tout à fait personnel ; il dépend en effet des goûts et du tempérament de chacun. Du reste le milieu de partie est la phase du jeu la moins analysée par la théorie, c'est pourquoi le joueur peut mieux déployer ses dons naturels et au cours de cette phase l'habileté de chacun ressort davantage.

La finale

Troisième et dernière phase de la partie.

Il y a deux types de finale : celle où le joueur a une supériorité de matériel telle qu'il peut forcer l'échec et celle où la victoire dépend d'une éventuelle promotion de Pion pouvant ainsi provoquer un déséquilibre de matériel déterminant.

Le premier cas a pratiquement déjà été examiné dans la leçon relative aux finales élémentaires. Maintenant, nous allons examiner le second cas. Néanmoins, voyons tout d'abord quelques principes de stratégie générale propres à la théorie des finales.

Avant tout, le Roi dans la finale, vu le nombre réduit de pièces sur l'échiquier, ne court pas le risque d'être mat et devient un protagoniste souvent déterminant pour l'issue finale de la partie. Dans la finale, l'avantage même d'un seul Pion est souvent décisif, il faut donc faire tout son possible pour arriver à la finale en évitant les enfilades (lorsque deux Pions appartenant au même joueur se trouvent sur une même colonne).

D'habitude, dans la finale le Fou est plus fort que le Cavalier, à part quelques exceptions : le Fou est plus fort s'il y a en jeu des Pions mobiles ou sur les deux côtés ; le Cavalier est plus fort si les Pions sont bloqués. Lorsque les Pions sont bloqués, le Fou qui contrôle les cases de même couleur que celles sur lesquelles se trouvent ses propres Pions s'appelle "Fou méchant".

La finale est la phase de la partie qui de nos jours est peut-être la plus analysée et la plus codifiée. Le nombre restreint des pièces sur le champ en facilite du reste l'étude et permet de découvrir plus aisément les règles gouvernant les finales mêmes.

C'est pourquoi nous renvoyons le débutant aux nombreux manuels monographiques touchant l'argument, nous ne rappellerons ici que deux règles importantes sur la théorie des finales de Pion.

La règle du carré

On appelle carré l'espace dans lequel doit se trouver le Roi afin d'empêcher la promotion d'un Pion adverse non soutenu à son tour par le Roi.

Le carré a pour côté la distance du Pion à partir de la dernière rangée. Remarquons que le carré du Pion dans sa case de départ a un côté de six cases et non de sept cases, vu qu'au premier coup initial le Pion peut avancer de deux pas.

Considérons la position des pièces sur le diagramme 164.

Si c'est aux Blancs de jouer, ceux-ci peuvent porter à la promotion le Pion b5, puisque le Roi noir se trouve en dehors du carré formé par les cases contenues dans l'espace entre b5-e5-e8-b8.

Par contre, si c'est aux Noirs de jouer, ceux-ci peuvent pénétrer dans le carré avec le Roi, bloquer le Pion et en empêcher la promotion.

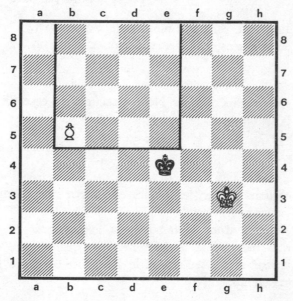

Diagramme 164. Règle du carré
Les Blancs jouent : les Blancs gagnent.
Les Noirs jouent : la partie est nulle

L'opposition

Dans la théorie des finales, l'opposition assume une importance fondamentale.

Considérons par exemple la position des pièces sur le diagramme 165. Les deux Rois ne sont pas en opposition. La partie est nulle si c'est aux Noirs de jouer et gagnée par les Blancs si c'est à eux de jouer.

Effectivement, si c'est aux Noirs de jouer

1. ... Rd8!

ils gagnent l'opposition, empêchant ainsi le Roi blanc d'avancer sur la septième rangée. A ce moment-là, après

2. c7+ Rc8
3. Rc6 ...

(c'est la seule solution sinon le Pion reste sans protection et le Roi noir le capture)

3. ... nulle par pat.

La partie est nulle puisque le Roi est pat.

Mais si c'est aux Blancs de jouer, alors on a :

1. c7 ...

afin d'empêcher les Nois d'occuper la case d8 et de gagner l'opposition ;

1. ... Rb7
2. Rd7 ...

et dans ce cas, les Blancs effectuent une promotion lors du coup suivant.

Nous invitons le débutant à approfondir cette position et celle illustrée par le diagramme 166 qui montre de quelle façon le joueur ayant seulement le Roi doit conduire la finale pour faire match nul.

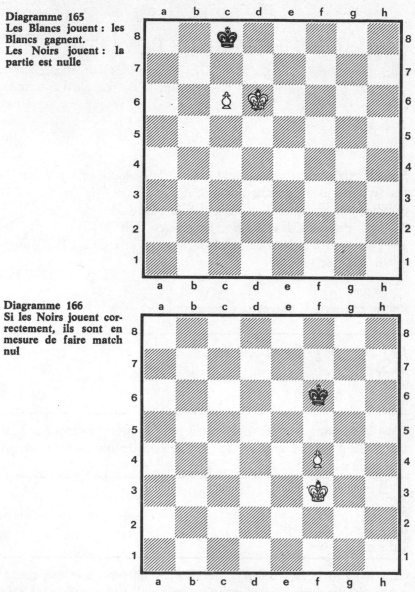

Diagramme 165
Les Blancs jouent : les Blancs gagnent.
Les Noirs jouent : la partie est nulle

Diagramme 166
Si les Noirs jouent correctement, ils sont en mesure de faire match nul

1.Re4, Re6 ; 2.f5, Rf6 ; 3.Rf4, Rf7 ; 4.Rg5, Rg7 ; 5.f6+, Rf7 ;
6.Rf5, Rf8; 7.Re6, Re8 ; 8.f7+, Rf8 ; 9.Rf6, partie nulle.

COMMENTAIRE DE LA PARTIE

Pour mieux comprendre ce que nous avons exposé lors des derniè-
res leçons, nous examinerons maintenant toute une partie en la
commentant et en soulignant les trois phases du jeu.
Blancs : Fischer (Usa) - *Noirs* : Spassky (URSS)
16ᵉ partie du match pour le Championnat du monde, 1972, Rey-
kjavik, Islande.

Partie numéro 1. Ouverture espagnole

1.e4, e5
2.Cf3, Cc6
3.Fb5, a6
4.F : c6...

C'est la variante de l'échange, jouée pour la première fois par Lasker à Saint-Pétersbourg en 1914. La retraite du Fou en a4 est
plus courante.

4...d : c6
5.0-0, f6
6.d4, Fg4
7.d : e5...

Ce coup provoque l'échange des Dames et supprime par conséquent de nombreuses possibilités tactiques. L'alternative, si l'on
veut organiser un jeu d'attaque, est 7.c3.

7...D : d1

Il ne faut pas avoir peur d'échanger les Dames si cela ne provoque pas un affaiblissement et même si cela se produit assez tôt comme dans ce cas. En revanche, les débutants semblent souvent craindre ou avoir honte d'échanger les Dames, gâchant parfois d'excellentes positions !

8.T : d1, f : e5
9.Td3...

Ce coup sert à défendre le Cavalier en f3 mais surtout à retirer le Cavalier du clouage.

Le Cavalier en f3 était effectivement cloué par le Fou sur la Tour. Déplacer ce Cavalier aurait signifié perdre la Tour en échange du Fou, c'est-à-dire perdre la qualité.

Les Blancs défendent ensuite le Cavalier, bien qu'il soit déjà défendu par le Pion en g2, pour éviter l'enfilade sur la colonne "f" : si les Noirs changeaient maintenant le Fou contre le Cavalier, ils ne se reprendraient pas avec le Pion g2 — se mettant en enfilade — mais avec la Tour.

9...Fd6
10.Cbd2, Cf6
11.Cc4, C : e4
12.Cc : e5...

Nous pouvons dire que ce coup marque la fin de la phase d'ouverture et le début du milieu de partie. En fait, ce coup joué par les Blancs n'est pas envisagé par la théorie et s'écarte par conséquent des chemins battus.

12...F : f3
13.C : f3, 0-0
14.Fe3...

La phase d'ouverture est à ce moment-là réellement terminée. Les deux joueurs ont pratiquement complété le développement et cherchent maintenant un plan stratégique.

14... b5

Le plan stratégique des Noirs se dessine : les Noirs ont 4 Pions
sur l'aile-Dame tandis que les Blancs n'en ont que 3, par conséquent ils bénéficient d'un avantage matériel et numérique. C'est
pourquoi les Noirs se proposent de valoriser cet avantage numérique qui s'appelle "supériorité". Les Blancs se trouvent maintenant dans l'obligation de se défendre, c'est-à-dire de faire tout leur
possible pour empêcher que les Noirs réalisent leur plan.

15.c4, Tab8
16.Tc1, b : c4

Les Noirs ont gagné maintenant un Pion, c'est-à-dire qu'ils pos-
sèdent matériellement un Pion de plus sur l'échiquier. Toutefois,
cet avantage n'a qu'une valeur réduite en raison de la triple enfilade sur la colonne "c". C'est pourquoi l'avantage matériel com-
pense un désavantage de position.
Maintenant, les Blancs n'ont pas intérêt à prendre le Pion en c4
car ils perdraient celui en b2. Ce serait un désavantage qui aurait
pour conséquence d'amoindrir les effets de l'enfilade des Noirs
mais, en revanche, de rendre plus sensible leur avantage matériel.

17.Td4, Tfe8
18.Cd2...

Les Noirs se sont défendus lors de la première attaque contre
le Cavalier mais maintenant, ils ne peuvent plus le faire ; ils décident donc d'échanger la pièce attaquée contre celle de l'attaquant.

18...C : d2
19.T : d2, Te4
20.g3...

Beaucoup de pièces ont été échangées, désormais nous nous trou-
vons dans la phase finale. Le Roi peut donc jouer un rôle actif et
soutenir la lutte des autres pièces.

20...Fe5
21.T1c2, Rf7
22.Rg2, T : b2

Il semble à première vue que les Noirs perdent une pièce ; en
réalité ce n'est pas vrai : en effet, si les Blancs capturent à présent
la Tour, les Noirs répondent par le déplacement du Pion en c3,
c'est-à-dire qu'ils exécutent une fourchette sur les deux Tours blanches et récupèrent ainsi du matériel. Le coup des Noirs n'est qu'un
"sacrifice" apparent.

23.Rf3, c3
24.R : e4, c : d2
25.T :d2...

Désormais, nous sommes réellement dans la phase finale. Les Noirs
ont réussi à conserver leur Pion d'avantage, mais cet avantage est
pratiquement annulé par l'enfilade sur la colonne "c" qui a pour
effet de réduire la valeur des deux Pions noirs sur la colonne "c" :
ils valent comme un seul pion.

25...Tb5
26.Tc2, Fd6
27.T : c6, Ta5
28.Ff4...

Pourquoi les Blancs ne défendent-ils pas leur Pion? Parce que pour
le faire ils auraient dû mettre la Tour en position passive et défen-
sive ouvrant ainsi de meilleures perspectives aux Noirs, bien qu'ils
soient à égalité en ce qui concerne le matériel. Les Blancs, ayant
joué ainsi, tendent en revanche à changer le plus de pièces possible, ce qui les conduira à faire match nul même s'ils ont un Pion
en moins.

28...Ta4+
29.Rf3, Ta3+
30.Re4, T : a2
31.F : d6, c : d6

32.T : d6, T : f2
33.T : a6, T : h2

Lorsque les pièces se trouvent dans cette position, la théorie des finales dit qu'on ne gagne pas en jouant correctement, c'est-à-dire que la partie est nulle. Voyons ce qui se passe.

34.Rf3, Td2
35.Ta7 +, Rf6
36.Ta6 +, Re7
37.Ta7 +, Td7

Les Noirs doivent parer l'échec sinon les Blancs peuvent déclarer la partie nulle par échec perpétuel. Maintenant, la théorie enseigne que les Blancs ne doivent pas échanger les Tours, car seule la présence des Tours leur garantit la possibilité de faire match nul bien qu'ils aient un Pion en moins.

38.Ta2, Re6
39.Rg2, Te7
40.Rh3, Rf6
41.Ta6 +, Te6
42.Ta5, h6
43.Ta2, Rf5
44.Tf2 +, Rg5
45.Tf7, g6
46.Tf4, h5
47.Tf3, Tf6
48.Ta3, Te6
49.Tf3, Te1
50.Ta3, Rh6
51.Ta6, Te5
52.Rh4, Te4 +
53.Rh3, Te7
54.Rh4, Te5
55.Tb6, Rg7
56.Tb4, Rh6

57.Tb6, Te1
58.Rh3, Th1 +
59.Rg2, Ta1
60.Rh3, Ta4 ; et puisque les Noirs ne réussissent en aucun cas à passer : 61., la partie est nulle.

Partie numéro 2

Deux exemples importants de combinaison : la "Toujours verte" et l'"Immortelle".
Bien que la partie entre Anderssen et Kieseritzky, connue sous le nom d'"Immortelle", fût celle qui obtint le plus de prestige, la "Toujours verte" est peut-être plus valable du fait de sa combinaison et de la situation critique qui se crée entre les deux adversaires. C'est en Allemagne qu'elle fut baptisée "Toujours verte".

La "Toujours verte" - Gambit Evans

Blancs : Anderssen - *Noirs* : Dufresne

1.e4, e5 ; 2.Cf3, Cc6 ; 3.Fc4, Fc5 ; 4.b4...

Ce coup des Blancs caractérise le Gambit Evans.

---

4. ... F : b4 ; 5.c3, Fa5 ; 6.d4, e : d4 ; 7.0-0, d3.

Une des variantes les plus logiques. Les Noirs restituent le Pion sans favoriser le développement de l'adversaire, comme cela arriverait après 7. ... d : c3 ; 8.Db3, suivi ensuite par Fa3 et par conséquent par C : c3.

8.Db3, Df6 ; 9.e5, Dg6 ; 10.Te1, Cge7 ; 11.Fa3...

Les Blancs ont deux Pions en moins, observez néanmoins la magnifique mobilité dont ils disposent. Quand aux Noirs, leur difficulté majeure réside dans le développement du Fou de la Dame. Pour essayer de résoudre ce problème, ils sacrifient maintenant un Pion dans le but d'obtenir à leur tour une contre-offensive.

11. ... b5 ; 12.D : b5, Tb8 ; 13.Da4, Fb6 ; 14.Cbd2, Fb7 ; 15.Ce4, Df5 ; 16.Fd3, Dh5 ;

Et c'est alors que commence l'une des plus extraordinaires combinaisons que l'histoire des échecs ait enregistrée. Pour la mener à bien, les Blancs doivent se mettre en position de mat.

17.Cf6+, g : f6 ; 18.e : f6, Tg8 ;

Les Noirs semblent avoir une attaque directe à cause de la grave menace de la Dame. Un joueur moderne aurait trouvé la façon de remporter la victoire d'une manière plus simple que celle adoptée par Anderssen. Il aurait sans aucun doute continué avec le coup prudent conseillé par Lasker : 19.Fc4, en défendant préventivement le Cavalier, mais l'impétueux Anderssen se serait senti diminué et ce que la partie avait perdu en simplicité elle le gagna en émotion et en splendeur.

19.Tad1 ...

Coup très habile qui, de prime abord, semble une absurdité. A une menace aussi directe que celle D : f3, comportant la conséquence désagréable d'un mat en g2, les Blancs répondent par une manœuvre préparatoire qui dissimule néanmoins un but très secret.

19. ... D : f3 ; 20.T : e7+, C : e7

On aurait eu la plus belle variante si les Noirs avaient joué 20.Rd8, donnant suite à : 21.T : d7+, Rc8 (dans le cas de 21. ... R : d7 ; alors 22.Fe2+, la Dame gagne) ; 22.Td8+, et maintenant : dans le cas de 22. ... T : d8 ; 23.g : f3, etc... dans le cas de 22. ... R:d8 ; 23.Fe2+, etc. et, en dernier lieu, dans le cas de 22. ...C:d8 ; 23.Dd7+, R:d7 ; 24.Ff5+, suivi de 25.Fd7, mat.

21.D: d7 +...

Deuxième grande surprise. Maintenant les Blancs sacrifient la Dame pour pouvoir faire mat d'une façon autant belle qu'originale.

21. ... R: d7 ; 22.Ff5+, Re8

(Dans le cas de 22. ... Rc6 ; 23.Fd7, mat.)
23.Fd7+, Rf8 (Rd8) ; 24.F:e7, mat.

L'"Immortelle" - Gambit du Roi

Blancs : Anderssen - *Noirs* : Kieseritzky

1.e4, e5 ; 2.f4, e:f4 ; 3.Fc4, b5 ;

Cela s'appelle contre-gambit Kieseritzky : il s'agit d'un sacrifice servant à gagner du temps dans le développement du jeu. Kieseritzky fut le premier maître qui le pratiqua.

4.F:b5, Dh4+ ; 5.Rf1, Cf6 ; 6.Cf3, Dh6 ; 7.d3, Ch5

Menace Cg3+ et en outre soutient le Pion f4.

8.Ch4, c6 ; 9.Cf5, Dg5 ; 10.g4 ...

Voilà un siècle, ce coup faisait les délices de joueurs d'échecs et pourquoi ne pas le dire, de nos jours aussi il plaît aux nombreux passionnés qui sont plus à la recherche de la beauté que de la froide correction de la technique.

10. ... Cf6 ; 11.Tg1, c:b5 ; 12.h4, Dg6 ; 13.h5, Dg5 ; 14.Df3, Cg8;

C'est la seule chose à faire pour sauver la Dame.

15.F:f4, Df6 ; 16.Cc3, Fc5 ; 17.Cd5. ...

Anderssen poursuit la magnifique combinaison qui commença au coup 11 et conclut maintenant la partie d'une manière impressionnante. Il est bien évident néanmoins que la disproportion des pièces en jeu doit porter ses fruits.

17. ... D:b2; 18.Fd6, F:g1;

Si 18. ... D:a1+; 19.Re2, D:g1 ; 20.C:g7+, Rd8 ; 21.Fc7, mat.
Si 18. ... F:d6 ; 19.C:d6+, Rd8 ; 20.C:f7+ ; Re8 ; 21.Cd6+, Rd8 ; 22.Df8, mat.
19.e5, D:a1 ; 20.Re2, Ca6 ; 21.C:g7+, Rd8 ; 22.Df6. ...

Digne et magnifique clôture finale.

22. ... C:f6 ; 23.Fe7, mat.

Les Blancs ont fait le mat avec trois pièces mineures seulement et deux Tours, la Dame et un Fou en moins. Mais les pièces valent en raison de ce qu'elles font et non de ce qu'elles sont. Cette partie en est la claire démonstration.

LES CHAMPIONS DU MONDE - QUELQUES REGLES POUR LES TOURNOIS

Chronologie des champions du monde d'échecs

Il est toujours intéressant de connaître l'histoire des échecs sous toutes ses formes. Et l'une d'entre elles est la connaissance des champions du monde.

Commençons donc par la liste des champions du monde :

(*Nota* : les dates indiquent les années où les différents joueurs ont été champions).

Ruy Lopez De Segura (Espagnol)	1572-1575
Giovanni Leonardo Da Cutri (Il Putino - Italien)	1575
Paolo Boi Da Noto (Le Syracusain - Italien)	1590
Gioachino Greco (Le Calabrais - Italien)	1634
François André Dunican Philidor (Français)	1747-1795
A. L. H. Lebreton Deschapelles (Français)	1821
Louis Charles Mahe De Labourdonnais (Français)	1821-1851
Howard Staunton (Anglais)	1843-1858
Adolf Anderssen (Allemand)	1851-1858-1862-1866
Paul C. Morphy (Etats-Unis)	1858-1862
William Steinitz (Autrichien)	1866-1894

Emanuel Lasker (Allemand)	1894-1921
José Raul Capablanca y Graupera (Cubain)	1921-1927
Alexander A. Alekhine (Russo-Français)	1927-1935-1937-1946
Max Euwe (Hollandais)	1935-1937
Mikhail Botvinnik (Russe)	1948-1957-1958-1960-1961-1963
Vasily Smyslov (Russe)	1957-1958
Mikhail Tal (Russe)	1960-1961
Tigran Petrosian (Russe)	1963-1969
Boris Spassky (Russe)	1969-1972
Robert Fischer (Etats-Unis)	1972-1975
Anatolij Karpov (Russe)	1975-1985
Gari Kasparov (Russe)	1985-........

Tableaux des tours pour les tournois

Pour former les tours lors des tournois, nous reproduisons ci-dessous les tableaux avec lesquels les organisateurs pourront facilement établir les accouplements de jeu en assignant à chaque numéro le nom d'un joueur.

Une fois que les inscriptions sont closes, on procède par tirage au sort en inscrivant les noms des concurrents sur des petits morceaux de papier qui seront placés dans une urne ou dans une boîte. Puis, on les extraira aussitôt un par un. Selon l'ordre d'extraction, ils recevront le numéro correspondant qui servira à établir le tableau des tours du tournoi.

Lorsque le nombre des joueurs est impair, la première colonne de chaque tableau est inutilisée. Par conséquent le joueur qui a le numéro de cette colonne sera libre ou sautera le tour de jeu. Le premier joueur désigné de chaque couple aura les pièces blanches.

3-4	joueurs	1er tour :	1-4	2-3			
		2e »	4-3	1-2			
		3e »	2-4	3-1			

5-6	joueurs	1er tour :	1-6	2-5	3-4		
		2e »	6-4	5-3	1-2		
		3e »	2-6	3-1	4-5		
		4e »	6-5	1-4	2-3		
		5e »	3-6	4-2	5-1		

7-8	joueurs	1er tour :	1-8	2-7	3-6	4-5	
		2e »	8-5	6-4	7-3	1-2	
		3e »	2-8	3-1	4-7	5-6	
		4^e »	8-6	7-5	1-4	2-3	
		5^e »	3-8	4-2	5-1	6-7	
		6^e »	8-7	1-6	2-5	3-4	
		7^e »	4-8	5-3	6-2	7-1	

9-10	joueurs	1er tour :	1-10	2-9	3-8	4-7	5-6
		2e »	10-6	7-5	8-4	9-3	1-2
		3e »	2-10	3-1	4-9	5-8	6-7
		4e »	10-7	8-6	9-5	1-4	2-3
		5e »	3-10	4-2	5-1	6-9	7-8
		6e »	10-8	9-7	1-6	2-5	3-4
		7e »	4-10	5-3	6-2	7-1	8-9
		8e »	10-9	1-8	2-7	3-6	4-5
		9e »	5-10	6-4	7-3	8-2	9-1

Autres règles du jeu d'échecs

1. *Transcription de la partie*

Au cours du jeu, chaque joueur est tenu de transcrire la partie (ses coups ainsi que ceux de l'adversaire) coup par coup, de manière claire et lisible sur un formulaire spécialement conçu.

2. *Emploi du chronomètre de tournoi*

Chaque joueur doit effectuer un certain nombre de coups dans une période de temps déterminée. Ces deux facteurs doivent être établis avant que ne commence le tournoi.

Le contrôle du temps de chaque joueur se fait au moyen d'un chronomètre double, muni d'un dispositif spécial. A l'heure fixée pour le début de la partie, le chronomètre du joueur qui a les Blancs est mis en marche. Ce joueur exécute le coup, après quoi il arrête son propre chronomètre et met en mouvement celui de son adversaire. Et ainsi de suite, alternativement.

Si un joueur n'effectue pas le nombre de coups prescrit dans le temps prévu, il perd la partie. Le dernier des coups prévus ne peut être considéré comme accompli tant que le joueur n'a pas arrêté son chronomètre.

3. *Positions irrégulières*

Si, au cours d'une partie, on constate qu'un coup a été effectué irrégulièrement, on rétablira la position antérieure à celle du coup irrégulier. Si cela est impossible, la partie sera annulée et on en jouera une autre.

Si, au cours de la partie, on constate que la position initiale des pièces était incorrecte, la partie sera annulée et on en jouera une nouvelle.

Si, au cours de la partie, on constate que la position de l'échiquier est erronée, la position à laquelle sont parvenus les joueurs sera transférée sur un échiquier correctement disposé et la partie se poursuivra.

4. Comportement des joueurs

Durant la partie, il est interdit aux joueurs d'utiliser des notes ou d'analyser la partie sur un autre échiquier. Il leur est également défendu de recourir aux conseils ou avis de tierces personnes et en outre de distraire ou déranger de quelque façon que ce soit l'adversaire.

Solution des exercices proposés par les diagrammes 112 à 117

Diagramme 112
Il n'y a qu'une seule façon de faire mat : 1.Dg7-b7 mat.
Il ne faut pas faire échec sur la colonne "b" ou sur la huitième rangée, car dans ce cas le Roi noir pourrait s'échapper en a7 ou en c7.

Diagramme 113
Une seule façon de faire mat : 1.Cd6-f7 mat.

Diagramme 114
Il y a trois manières différentes de faire mat : 1.De5-c7 mat ; ou 1.De5-e8 mat ; ou encore 1.De5-h8 mat.

Diagramme 115
Le seul coup permettant de faire échec et mat est le suivant : 1.f6-f7 mat !
Il ne faut pas faire 1.h6-h7 à cause de 1. ... Th8 : h7.

Diagramme 116
Il y a une seule façon de faire mat : 1.Cd2-f1 mat.
Il ne faut pas faire 1.Cd2-f3, car dans ce cas les Noirs pourraient soit capturer le Cavalier avec la Tour (1. ... Th3 : f3) soit jouer 1. ... Rh2-h1 ; étant donné que le Cavalier en f3 ôterait le contrôle de la case h1 au Fou en d5.

Diagramme 117
Les Blancs peuvent faire échec et mat de Tour ou de Fou.
Par conséquent : 1.Tb3-h3 mat, ou bien 1.Fg1-d4 mat.

Table des matières

163

165

*Achevé d'imprimer
en décembre 1988
à Milan, Italie, sur les presses
de AGEL s.r.l.*

*Dépôt légal: décembre 1988
Numéro d'éditeur: 1981*